Collection
PASSION

Dans la même collection

150. Peggy Webb, *L'ange de Donovan.*
151. Millie Grey, *Le vagabond du ciel.*
152. Joan Elliott Pickart, *La fin du voyage.*
153. Linda Cajio, *Le trésor des jours.*
154. Nancy Holder, *Au temps de la valse.*
155. Iris Johansen, *Au grand jamais.*
156. Kay Hooper, *Les trois vies d'Alexa.*
157. Sara Orwig, *L'amour au coin du bois.*
158. Kathleen Downes, *Experte haut de gamme.*
159. Iris Johansen, *Pour toujours.*
160. Joan Elliott Pickart, *S.O.S. Cœur en détresse.*
161. Billie Green, *Les chemins de la grâce.*
162. Marie Michael, *Rogan, si tu savais.*
163. Peggy Webb, *Duplicité.*
164. Barbara Boswell, *Ambre, la renaissance.*
165. Sandra Brown, *22, place Indigo.*
166. Charlotte Hughes, *Quelques maris de trop.*
167. Barbara Boswell, *La séduction, un jeu d'enfant.*
168. Fran Baker, *Amour dans les ténèbres.*
169. Kathleen Creighton, *Une grande fille craintive.*
170. Kay Hooper, *Rafe le rebelle.*
171. Iris Johansen, *York l'aventurier.*
172. Fayrene Preston, *Burt le mystérieux.*
173. Joan Elliott Pickart, *Secrets d'automne.*
174. Barbara Boswell, *L'amour à la une.*
175. Adrienne Staff et Sally Goldenbaum, *Le solitaire de l'oasis.*
176. Marianne Shock, *Les héritiers.*
177. Nancy Holder, *Les yeux d'émeraude.*
178. Eugenia Riley, *Le cœur a toujours raison.*
179. Kimberli Wagner, *Exposé.*
180. Linda Cajio, *Chevalier à la rose.*
181. Patt Bucheister, *Le pique-nique des ours.*
182. Billie Green, *L'amour en fête.*
183. Barbara Boswell, *De surprise en surprise.*
184. Susan Richardson, *Concerto pour un ange.*
185. Becky Lee Weyrich, *Mon amour, mon Euphorie.*
186. Kay Hooper, *Les filets de Séréna.*
187. Barbara Boswell, *Un homme à marier.*
188. Kay Hooper, *Le vol de la mésange.*
189. Hertha Schulze, *Un projet en or.*
190. Glenna McReynolds, *Parole de scout.*
191. *Joan Brainsch, Mon nom est Madison.*
192. Linda Capo, *Au secours de Diana.*
193. Patt Bucheister, *Parfum de scandale.*
194. Susan Richardson, *Automne à San Francisco.*
195. Glenna McReynolds, *Voleurs dans la nuit.*
196. Sally Goldenbaum, *Le grand jeu du destin.*
197. Kathleen Downes, *Un soir à Paris.*
198. Olivia et Ken Harper, *Duo pour un trésor.*
199. Billie Green, *Jessica joue et gagne.*

CHARLOTTE HUGHES

LE HOLD-UP DE MARIBETH

PRESSES DE LA CITÉ
PARIS

Titre original :
STRAIGHT SHOOTIN' LADY

Première édition publiée par Bantam Books, Inc., New York, dans la collection Loveswept ® . Loveswept est une marque déposée de Bantam Books, Inc.

Traduction française de Christine Ghazarian

ISBN : 2-258-02537-0.

1

MARIBETH Bradford reconnaissait tout de suite un visage louche, et pour cause : elle était fille de shérif. Son enfance bercée d'histoires de gendarmes et de voleurs lui avait permis d'acquérir ce talent. Or les deux hommes, dans le hall de la petite banque, avaient l'air suspect. Celui aux lunettes se dandinait impatiemment d'un pied sur l'autre. Le deuxième, debout au comptoir, chauve, trapu et vêtu de bleu, gribouillait quelques lignes sur un morceau de papier. Il ne s'agissait certainement pas d'un simple versement. Tandis qu'il écrivait d'une main, de l'autre il vérifiait nerveusement la poche de sa veste. Que cachait-il? Une arme? Et cet oreiller sous son bras? Que comptait-il en faire?

« Un holp-up! » réalisa-t-elle soudain.

Prise de panique, elle faillit laisser échapper la demande d'emploi qu'elle était sur le point de compléter. Maribeth jeta un coup d'œil rapide autour d'elle; elle cherchait M. Phelps, le gardien qui, à l'ouverture, avait laissé entrer les employés. Près d'un guichet, il discutait avec un jeune homme brun. Malgré son affolement, Maribeth s'attarda un moment sur cet homme. Elle ne l'avait encore jamais vu. Sinon, comment aurait-elle pu oublier un tel visage?

Si seulement elle pouvait attirer son attention...

Sans bouger du divan de cuir, elle regarda autour d'elle afin d'avoir une meilleure vue d'ensemble. Il y avait en tout et pour tout huit employés dans la salle; chacun d'eux s'affairait à préparer l'ouverture. D'autres bureaux se trouvaient dans l'arrière-salle; toutefois, il était impossible de savoir s'ils étaient vides ou pas.

Maribeth patienta encore un peu. Mais lorsqu'elle s'aperçut que ni le gardien, ni l'autre homme ne relevaient la tête, elle comprit qu'il lui fallait agir.

Maribeth se leva puis s'approcha lentement du comptoir . La banque n'avait pas beaucoup changé depuis la première fois qu'elle y avait mis les pieds avec son père. Une seule chose manquait au décor : la vieille cage de bronze qui avait depuis toujours abrité des perroquets de toutes les couleurs. La cage ainsi que les oiseaux avaient disparu, mais ce n'était pas le moment de s'en soucier. La jeune femme était maintenant à quelques pas du guichet où se tenait le gardien. Elle n'entendit pas l'homme s'avancer derrière elle.

— Pas un geste, gronda une voix tout près d'elle.

Maribeth se retourna d'un bond.

— Vous étiez avant moi, peut-être? Je suis désolée, sourit-elle d'un air innocent.

— La ferme! aboya l'homme en la menaçant de son pistolet.

A la vue de l'arme, les employés retinrent leur souffle, mais une des femmes ne put s'empêcher de crier. Alerté, le jeune homme brun releva la tête. Le gardien porta aussitôt la main à son revolver.

— Rangez ça, mon vieux, si vous ne voulez pas assister à ses funérailles, l'interrompit l'homme, derrière Maribeth.

Le gardien lui obéit aussitôt.

— Et maintenant, les mains en l'air, tout le monde, ordonna le voleur d'un air menaçant. Joe, occupe-toi du gardien.

L'homme aux lunettes écarquilla les yeux.

— Mais je ne m'appelle pas Joe...

Le chauve n'en crut pas ses oreilles.

— Tu veux qu'on s'appelle par nos vrais noms, imbécile?

— Oui, c'est vrai... Comment veux-tu que je t'appelle, moi?

— Comme tu veux, tu entends! soupira l'autre, exaspéré. Maintenant, occupe-toi donc du gardien. Et n'oublie pas son ami, pendant que tu y es.

— Barney, ça te va?

Il fouilla d'abord M. Phelps pour lui prendre son arme et ensuite le jeune homme brun. Puis il se tourna vers son compagnon en attendant ses ordres.

— Et maintenant, poursuivit Barney, verrouille toutes les portes et vérifie l'arrière-salle, les bureaux et aussi les toilettes. Et que la fête commence! ajouta-t-il en ricanant.

A la vue de ses dents jaunes, Maribeth eut une grimace de dégoût. Mais le voleur, insensible, en rit de plus belle.

Un peu plus tard, Joe revint bredouille de ses recherches.

— J'ai fermé les portes et je n'ai vu personne.

— Bien. Maintenant, réunis tout le monde et assure-toi qu'ils n'ont pas d'armes sur eux.

Joe obéit aussitôt; il resta encore une fois bredouille.

— Ça va. Emmène-les dans un des bureaux et attache-les bien solidement. Toi aussi, beau gosse, intervint-il en s'adressant au jeune homme proche du gardien.

Celui-ci ne broncha pas.

— Je suis un employé de la banque. Relâchez la femme et je vous promets de vous donner tout ce que vous voulez.

Maribeth examina son visage. Il était si beau... si élégant... Elle se ressaisit soudain en se souvenant qu'elle n'était pas là pour s'amuser. Elle risquait de mourir.

— On ne discute pas, mon vieux. On obéit ou on meurt, grommela Barney.

Le jeune homme observa un moment le visage de Maribeth.

— Relâchez la femme et j'accepte de collaborer.

Barney le toisa des pieds à la tête.

— Comment est-ce que tu t'appelles, beau gosse?

— Edward.

— Et tu es quoi, ici?

— Employé.

— Un peu trop élégant pour un employé, marmonna Barney en examinant la tenue de son interlocuteur.

Edward haussa les épaules, indifférent.

— Quand on n'a pas les moyens, on achète un seul costume, mais on achète ce qu'il y a de mieux.

A ces mots, Barney éclata de rire avant de s'adresser à son compagnon.

— Donne-lui l'oreiller, Joe. Pendant que je me charge de l'argent, ligote-moi ce petit groupe.

Joe se mit à la tâche. Un par un, il fit entrer les employés dans l'arrière-salle.

— Allons, remue-toi, s'énerva Barney, voyant qu'Edward ne bronchait pas. Ouvre les caisses et remplis le sac!

Maribeth ne le quitta pas des yeux tandis qu'il prenait son temps pour obéir aux ordres du voleur.

Qu'espérait-il? L'intimider? Gagner du temps?

— Qu'est-ce que je vous mets? Des petites coupures ou des grosses?

Barney dut se retenir pour ne pas exploser.

— Je veux tout, idiot. Tu n'as pas encore compris? Les petites et les grosses coupures, l'argent des tiroirs et aussi celui du coffre. Maintenant, arrête de traîner et mets-toi au travail!

— Le coffre, je ne peux pas l'ouvrir.

Maribeth blêmit de peur.

« Ça y est, songea-t-elle, nous sommes perdus. »

Barney dévisagea Edward, de plus en plus furieux.

— Qu'est-ce que ça veut dire? Tu ne peux pas ouvrir le coffre?

— Je n'ai pas la combinaison. Seul le président de la banque la connaît et il n'est pas là pour le moment.

— Et où crois-tu donc qu'il est? demanda Barney, de toute évidence au bord de la crise de nerfs.

— Tout de suite après l'ouverture, il a dû se rendre à un rendez-vous. A vrai dire, vous l'avez manqué de peu. Il ne sera pas de retour avant le début de l'après-midi.

Fou de rage, Barney assena son poing sur le comptoir.

— J'espère pour toi que tu dis vrai, beau gosse, sinon je ne vais pas me gêner pour...

Sa menace fut brusquement interrompue par les sirènes de la police. Alerté, Barney bondit aussitôt sur Maribeth pour la saisir par le cou. Et lorsque Edward essaya de l'en empêcher, il lui braqua son pistolet sur la tempe.

— Pas un geste, beau gosse, si tu ne veux pas que je lui fasse sauter la cervelle.

Edward ne se fit pas prier : il s'écarta sur-le-champ.

Joe sortit de l'arrière-salle en trombe.

— Qu'est-ce qu'on va faire, maintenant? Les flics...

— Ils ne bougeront pas, le rassura Barney en continuant à menacer Maribeth de son arme. Qu'ils essaient d'approcher et je ne réponds plus de la petite blonde.

La jeune femme ferma les yeux, sûre que cette fois, elle ne s'en tirerait pas.

— Je vois que ça vous amuse d'effrayer les jeunes femmes innocentes, rétorqua Edward d'un ton sec.

— Erreur, ce qui m'amuserait c'est de te loger une balle dans la tête. La ferme, beau gosse, si tu veux rester en vie. Joe, tout le monde est bien attaché?

— Pieds et poings liés.

— Bon. Toi, tu restes ici pour surveiller beau gosse et l'argent. Moi, j'emmène la mignonne faire un tour dans l'arrière-salle. Allez, avance, lui ordonna-t-il brutalement.

Maribeth ouvrit alors les yeux et fusilla du regard son agresseur. Elle n'avait nullement l'intention de se laisser malmener.

— Qu'est-ce que tu vas faire? s'inquiéta Joe.

— Je vais nous trouver un joli bureau pour qu'on se cache en attendant de mettre au point la suite des événements. Dès que beau gosse aura fini de remplir l'oreiller, emmène-le avec toi. Et ne le lâche pas d'une semelle, il ne m'inspire pas confiance.

Barney gagna l'arrière-salle en compagnie de Maribeth. Après avoir vérifié tous les bureaux, il en choisit un, plus grand, dont la porte était ornée d'une plaque au nom du président: James E. Spears.

— Il me plaît, celui-ci. Qu'est-ce que tu en dis, mignonne?

Maribeth ne prit pas la peine de répondre. Elle jeta un coup d'œil par-dessus son épaule, à la recherche d'Edward. Il n'était pas là, il avait dû rester avec Joe. Elle s'inquiétait pour lui. A voir la façon dont il tenait tête aux voleurs, il risquait bien de se faire descendre. Il aurait dû se montrer prudent.

« Il va falloir que je le surveille », songea-t-elle.

Barney lui fit signe de s'asseoir et elle obéit, prête à mettre au point un plan d'attaque.

— Qu'est-ce que ça veut dire, ça, tu ne peux pas ouvrir le coffre? répéta Joe.

— Comme je l'ai expliqué à votre associé, seul le président de la banque en connaît la combinaison.

A l'extérieur, la voiture du shérif arriva sur les chapeaux de roues, suivie de plusieurs autres véhicules de patrouille. Joe se dissimula aussitôt derrière un placard, son pistolet toujours braqué sur le jeune homme. Le parking, résonnant de bruits de sirènes et illuminé de clignotants, ressemblait ainsi à une fête foraine. Edward vérifia la position du voleur. Accroupi dans son coin, il avait tout l'air d'un animal traqué.

— Vous pourriez vous rendre, vous savez, lui dit-il.

Mais à vrai dire, son esprit était ailleurs. Il s'inquiétait pour la jeune fille, prisonnière de l'autre individu. Si le rustre se permettait de la toucher...

— Pour me faire sauter la cervelle, je suppose, répondit Joe. Occupe-toi plutôt de l'argent. Combien on a, pour le moment?

— Trente ou quarante mille.

— C'est tout? Barney va être fou en apprenant qu'on s'est donné tant de mal pour si peu.

— Trop peu pour mériter la prison, n'est-ce pas?
— Garde tes conseils pour toi, ça ne m'intéresse pas, s'énerva Joe. Barney saura nous sortir de là.

— ... et j'ai aussi mes deux chats, Corn Flakes et Raisin Sec, poursuivit Maribeth sans répit. Ce sont de gros mangeurs, vous savez. Si vous me tuez, ils ne tarderont pas à mourir de faim. Et si la propriétaire découvre que j'ai des chats, elle n'hésitera pas à me mettre à la porte. Voyez-vous, elle n'aime pas les animaux... Ce n'est pas que ça me terrorise, de mourir, mais je viens d'emménager dans cet appartement, et je ne voudrais pas le perdre. Avant, j'habitais à Atlanta avec ma meilleure amie, puis un jour...
— La ferme! explosa Barney, exaspéré. Je me fiche pas mal de tes chats, de ton appartement, ou de ton amie.
Maribeth le regarda de travers.
— Vous n'avez pas besoin de me parler sur ce ton. Après tout, j'ai toujours fait ce que vous vouliez.
— Si tu fermais aussi ta grande bouche, ça serait encore mieux.
— Je ne comprends pas pourquoi vous me gardez, insista-t-elle. Vous ne toucherez aucune rançon, si c'est ce que vous espérez. Je ne suis pas d'une famille riche. Tout ce que j'ai à vous offrir, c'est quelques dollars cachés sous mon matelas.
— Sous le matelas?
— Eh oui, c'est là que je cache mon argent. Avec les banques, on ne sait jamais. Vous ne croyez pas?
— Pour la dernière fois, la ferme! gronda Barney, à bout de nerfs. Tu vois ce mouchoir? Si tu ne te tais pas, je te jure que je ne me gênerai pas pour te bâillonner.

— Me bâillonner avec ce chiffon? Vous n'y pensez pas?

— Ce chiffon? Dis aussi que je suis sale, pendant que tu y es! Je te signale que je me suis lavé pas plus tard qu'hier.

— Alors, vous avez dû passer un peu trop de temps dans une étable... Il y a des odeurs dont on ne se débarrasse pas facilement, vous savez.

— Tu te crois maligne, je suppose, aboya Barney. Moi, si j'étais ton père...

Joe l'interrompit en se précipitant soudain dans le bureau en compagnie d'Edward.

— Il y a des flics partout!

— Tu as l'argent?

— Pas tout. On n'a pas pu mettre la main sur l'argent du coffre.

Maribeth remarqua que le jeune homme était sain et sauf. Elle avait eu si peur pour lui...

— J'espère, pour toi et pour la mignonne, que tu n'as pas cherché à nous tromper, beau gosse, lança Barney. Maintenant, appelle le bureau du shérif et transmets-lui nos exigences.

Edward obéit, malgré lui.

— Dites-moi d'abord ce que vous exigez, soupira-t-il.

— Un million de dollars, et un avion privé pour nous sortir de là.

A ces mots, Edward ne put s'empêcher d'éclater de rire.

— Vous plaisantez, j'espère. Vous ne trouverez jamais une somme pareille dans cette ville.

Barney fulmina dans son coin avant de s'adresser à Joe :

— Je t'avais bien dit qu'il n'y avait rien à espérer d'une ville pareille. Soit, beau gosse, disons cinq cent mille, mais pas un cent de moins. Et n'oublie pas de leur préciser que nous avons aussi des otages.

Le jeune homme appela les bureaux de la police. Après une brève conversation avec le shérif, il raccrocha enfin.

— Je lui ai fait part de vos exigences. Il a promis de s'en occuper et de nous tenir au courant.

Barney eut un large sourire aux dents jaunes.

— Je savais bien qu'il collaborerait. Joe, attache donc aussi ces deux-là et enferme-les dans le placard.

— Vous n'y pensez pas! se rebiffa Maribeth.

— Et celle-là, n'oublie pas de la bâillonner. Je n'avais jamais rencontré une femme aussi bavarde : un vrai moulin à paroles.

— Je n'aime pas du tout vos manières, continua Maribeth sans relâche, surtout que je vous ai offert toute ma fortune. Lorsque mon père saura comment vous m'avez traitée, il se lancera à vos trousses.

Elle ne put terminer sa phrase; Joe la poussa violemment vers le placard. Puis il fit de même avec Edward. Il les mit ensuite dos à dos et les attacha solidement par les mains et par les pieds.

— Et maintenant, la ferme si tu ne veux pas que je le fasse moi-même, l'avertit-il avant de s'éloigner.

— Vous allez bien? lui demanda Edward lorsqu'ils furent seuls.

— Oui, je crois.

— Tant mieux, car ce n'est pas le moment de flancher. J'ai peut-être un plan.

— Vous en êtes sûr?

— Écoutez, ils veulent un avion, n'est-ce pas? Eh bien, je vous parie qu'aucun d'eux ne sait comment s'en servir. Moi, en revanche, je sais piloter. Je vais donc leur proposer de les sortir d'ici en échange de la liberté de tous les otages.

— Mais vous, que vous arrivera-t-il?

— Rien, ils ne me toucheront pas tant que je leur serai utile.

Il avait l'air d'être sûr de lui. Mais tout de même...

— Vous savez, Edward... Ce Barney, il ne m'inspire pas confiance. Et puis, nous risquons d'attendre longtemps avant de pouvoir obtenir une telle somme et un avion. Qu'allons-nous devenir? soupira-t-elle d'une voix lasse. Et mes pauvres chats, qui va s'en occuper pendant mon absence? Je n'aurais jamais dû revenir à Laurel. Mais qui aurait cru qu'un jour une petite ville comme la nôtre et une banque aussi insignifiante seraient la proie des voleurs?

— Je ne pense pas qu'elle soit aussi insignifiante, répliqua Edward pour se défendre.

— Tout est de ma faute, j'ai la poisse, ces temps-ci.

— Je ne vous crois pas.

— C'est vrai, vous savez, cela fait des semaines que la malchance me persécute. D'abord, ma meilleure amie me lâche pour aller se marier avec cet inconnu. Comme ça, sans me prévenir. Incapable de payer seule le loyer, je décide donc de trouver un meilleur emploi. Et savez-vous ce qui m'arrive? Mon patron apprend la nouvelle et décide de me licencier. Alors je me résigne à revenir à Laurel, parce que de toute façon je n'apprécie pas spécialement la vie des grandes villes. Je rentre, complètement fauchée, et je décide aussitôt de me mettre à la recherche d'un travail. Je me présente à cette banque pour faire ma demande. Et voilà que je me retrouve en plein hold-up, pieds et poings liés!

Un léger sourire éclaira le visage d'Edward. Sa pauvre compagne de placard ne semblait pas avoir beaucoup de chance. Il eut envie de la consoler, de la prendre contre lui. Mais comment le faire dans cette position? Alors il résolut de les sortir de ce mauvais pas.

— Quel genre d'emploi cherchez-vous?

— Je voulais poser ma candidature pour le poste d'assistante de direction. Mais je suis sûre que ça ne marchera pas.

— Pourquoi?

— Je n'ai pas les qualifications nécessaires; je ne connais pas la sténo et très peu la dactylo. Mais ce n'est pas tout. En plus, je suis sûre que nous ne pourrions pas nous entendre. Il est de New York, paraît-il; un vrai banquier, probablement. Je me demande pourquoi il est venu se terrer dans une si petite ville, il n'y réussira jamais... Il doit être aussi du genre à demander à son assistante de se charger du café du matin, des courses et pourquoi pas du cadeau d'anniversaire de sa femme.

— Je ne pense pas qu'il soit marié.

— Personne ne veut de lui, certainement, lança Maribeth en haussant les épaules. En tout cas, on dit qu'il n'a rien de son grand-père. C'était un grand banquier, lui. Certains disent qu'il vient tout droit de Wall Street, le nouveau.

A ces mots, Edward ne sut que penser. Il aimait la chaleur de ce corps de femme contre le sien, la douceur de ses cheveux contre sa peau... Dès le premier instant, c'étaient ses cheveux qu'il avait remarqués : longs, bouclés et blonds. Puis il avait vu ses yeux. Étaient-ils bleus? Ou verts? Ils étaient changeants. Perdu dans ses pensées, Edward l'entendit à peine. Puis il comprit soudain qu'elle lui avait posé une question.

— Excusez-moi, vous disiez?

— J'aimerais connaître votre opinion au sujet de M. Spears.

A vrai dire, elle ne s'intéressait guère à M. Spears.

En revanche, elle aurait aimé en savoir plus sur son compagnon de placard. Sa présence calme et forte la rassurait étrangement.

— Ma foi..., hésita-t-il un instant avant de poursuivre, c'est quelqu'un de bien. Et je crois qu'il est très gentil avec ses employés.

— Est-ce qu'il paie bien?

— Ah oui, plus que bien, même. Je peux vous en assurer.

— Comme vous vous en doutez, ce n'est pas facile de trouver un emploi dans cette ville, soupira Maribeth. Surtout bien payé... Certes, je peux toujours mentir à propos de mes qualifications pour essayer de décrocher ce contrat. Mais j'en suis incapable.

— Pourquoi briguez-vous ce poste si vous n'êtes pas suffisamment qualifiée?

— Je ne suis peut-être pas suffisamment qualifiée, mais je suis tout à fait capable de faire ce travail, se rebiffa-t-elle d'un ton indigné.

— Je comprends...

Le silence se fit alors dans le placard, lourd et pesant. Maribeth, fatiguée, fut la première à le rompre :

— Combien de temps croyez-vous qu'ils vont nous garder prisonniers? l'interrogea-t-elle, soudain impatiente de sortir de ce trou.

A vrai dire, elle ne se sentait pas si mal en compagnie d'Edward. Mais son eau de toilette enivrante commençait à lui monter à la tête. Comment lui résister?

— Je suis sûr que le shérif s'active; il faut lui faire confiance.

— Mais je n'ai pas que ça à faire, moi! s'emporta-t-elle, de plus en plus impatiente. Il faut que je range mon appartement. Et il faut aussi que je trouve du travail...

Elle recommença alors à se débattre, pour essayer de desserrer les liens, mais en vain. Frustrée et courbatue, elle décida donc de cogner sur la porte à grands coups d'épaule.

— Qu'est-ce que vous faites?

— Je veux nous sortir de là, lança-t-elle en espérant que son plan marcherait, bien qu'il ne soit pas bien préparé. Eh! vous, là-dehors! Vous m'entendez?

Ses cris restant sans réponse, elle se tut.

« Quelle époque! On ne peut même plus faire confiance aux voleurs », songea-t-elle en soupirant de plus belle.

— Ne bougez plus, intervint Edward, inquiet.

A ce moment précis, la porte du placard s'ouvrit et Joe apparut, plus menaçant que jamais.

— J'aurais dû me douter que tu ne tiendrais pas le coup. Un peu de silence. C'était trop beau pour être vrai!

— J'ai besoin d'aller aux toilettes.

— Tu n'as qu'à te retenir.

— J'ai essayé, mais je n'en peux plus, se rebiffa-t-elle, franchement de mauvaise humeur.

— C'est pas vrai! Pourquoi tu n'as rien dit avant que je vous attache?

— Parce qu'à ce moment-là, je n'en avais pas envie.

Cette fois, elle changea de ton, décidée à dissimuler sa peur. Elle commençait à trembler à l'idée de ce qu'elle avait prévu de faire. Si elle échouait, ils risquaient tous deux de mourir.

Tandis que Joe les détachait, Maribeth jeta un rapide coup d'œil autour d'elle. Elle remarqua aussitôt que Barney, vautré dans un fauteuil, ne semblait pas leur accorder beaucoup d'attention. Les bras croisés, il tenait nonchalamment son arme dans sa main. Pris de court, il mettrait deux ou trois minutes pour réagir puis tirer. Il fallait à tout prix qu'elle soit plus rapide que lui.

Joe commença à défaire les nœuds d'une main, tenant son pistolet de l'autre. Puis, voyant qu'il n'y arriverait jamais, il se débarrassa de son arme pour aller plus vite. Maribeth sentit les liens se desserrer autour de ses poignets. Malgré sa hâte, elle attendit patiemment que Joe ait fini de les détacher. Pendant ce temps, elle continua à vérifier la distance qui la séparait de l'arme, puis de Barney. Elle n'aurait pas beaucoup de temps pour agir. Et il fallait aussi penser à Edward; elle ne devait lui faire courir aucun risque. Assis derrière elle, celui-ci ne bronchait pas.

Son cœur se mit à battre la chamade. Un dernier nœud, et puis... Joe se tourna pour récupérer son arme. Mais Maribeth fut plus rapide. D'un bond, elle se jeta sur son pistolet.

Il eut à peine le temps de bredouiller quelques mots. Barney, plus agile, se redressa vivement et braqua aussitôt son arme sur le groupe assis dans le placard. Maribeth fit de même, puis elle tira la première.

Le coup retentit dans la pièce, suivi de l'odeur âcre de la poudre puis d'un long silence.

— Elle m'a tiré dessus! cria soudain Barney, horrifié. Cette petite garce m'a tiré dessus!

Maribeth se releva lentement, l'arme à la main, tout en continuant à surveiller les deux voleurs.

— Ce n'est qu'une égratignure. Mais si vous essayez de bouger, je n'hésiterai pas à vous descendre pour de bon.

Malgré sa peur, elle s'efforça de parler d'un ton ferme et autoritaire. Elle n'avait pas oublié les conseils de son père. Sans un mot de plus, elle s'empara ensuite de l'autre arme qu'elle braqua sur Joe.

— Maintenant, détachez Edward, ordonna-t-elle tout en espérant ne pas flancher au dernier moment.

Lorsqu'Edward fut enfin libéré, elle s'empressa de lui remettre les armes.

— Il faut que je bande la main de Barney. Si l'un d'eux bouge, n'hésitez pas à tirer.

Edward lui obéit, bien qu'il ne se sente pas très sûr de lui armé de deux pistolets. Il attendit patiemment que la jeune femme en finisse avec le blessé.

— Où avez-vous appris à tirer aussi bien? lui demanda-t-il enfin.

— Avec mon père.

— Votre père? Est-il donc chasseur de primes?

— Il était shérif; il est à la retraite, maintenant. Mais vous, comment vous sentez-vous?

— Bien... Bien... Je crois qu'il est temps que nous nous occupions des autres otages.

— Oui, et aussi de la police.

— Je me charge de la police, dit-il en se débarrassant des deux pistolets. Mais d'abord, je dois vous faire un aveu.

— Un aveu? Est-ce donc si urgent?

— Très urgent. Je m'appelle James E. Spears.

— Comment?

— Oui, je suis le président de la banque. Je me suis servi de mon deuxième prénom, Edward, pour ne pas éveiller les soupçons. Si les voleurs avaient appris la vérité, ils n'auraient pas hésité à me faire ouvrir le coffre.

— Oh non! soupira Maribeth. Je ne manque jamais une occasion pour mettre les pieds dans le plat. Je crois qu'un de ces jours je vais définitivement fermer ma grande bouche pour ne plus jamais l'ouvrir.

— Ce serait dommage car j'ai décidé de vous engager.

Maribeth n'en crut pas ses oreilles.

— M'engager? Après ce que je vous ai dit?

— Oui, dès que vous m'aurez donné votre nom. A moins que vous préfériez que je vous appelle Miss Pistolet.

— Maribeth Bradford, bredouilla-t-elle.

— Très bien, Maribeth Bradford. Le poste est à vous si vous le voulez encore.

— Mais je ne suis pas qualifiée.

— Pourtant, ce n'est pas ce que vous m'avez dit dans le placard.

La jeune femme observa longuement son visage, ses yeux puis sa bouche. Spears était très séduisant. Comment allait-elle travailler avec lui sans succomber à son charme?

— Pourquoi faites-vous cela? lui demanda-t-elle.

Edward répondit sans la moindre hésitation :

— Vous avez beaucoup de courage et j'ai besoin de gens comme vous dans mon entourage. Je suis nouveau dans cette ville, votre aide me sera donc très précieuse.

Travailler avec lui? Elle finirait par craquer.

— Quand voulez-vous que je commence?

— Dès demain.

— Demain?

— Nous ouvrons les bureaux à neuf heures précises.

Pourvu que son bureau ne soit pas trop près du sien...

— A neuf heures précises?

— Que vous arrive-t-il? Vous manquez d'imagination?

— Je ne sais que dire.

— Ça ne doit pas vous arriver souvent. Maintenant, j'ai besoin de votre réponse, Maribeth. N'oubliez pas que nous devons encore nous charger des otages et de la police.

— J'accepte, déclara-t-elle sans plus attendre.

— Parfait. Et sachez que je n'aurai pas besoin de vous pour mes courses, ajouta-t-il en se penchant vers elle. Lorsque j'achète un cadeau, j'aime le choisir moi-même.

Avec un clin d'œil, il disparut.

2

Le lendemain matin, Maribeth se gara sur les chapeaux de roues dans le parking de la banque. Il était neuf heures quinze précises. Un quart d'heure de retard pour son premier jour de travail ! Pourquoi avait-il fallu que son réveil lui fasse faux bond justement ce matin-là? Elle vérifia rapidement sa coiffure dans le rétroviseur, puis se donna un dernier coup de peigne avant de sortir. Tandis qu'elle marchait vivement en direction de l'entrée, une autre employée, Carol McCloy, vint la rejoindre. Elle était en retard elle aussi.

Maribeth n'avait pas revu Carol depuis son départ pour Atlanta. La jeune femme n'avait pas du tout changé : même coupe de cheveux, même silhouette petite et fine. Très récemment, elle avait fini par épouser Dan McCloy et ils comptaient bientôt fonder une famille.

— Bonjour, Carol.

— Bonjour, Maribeth. Tu es en retard, toi aussi?

— Oui, et en plus le premier jour ! J'espère qu'il ne va pas me licencier au bout de quelques heures de travail.

— Ça m'étonnerait qu'il te licencie après ce que tu as fait hier. La presse ne parlait que de toi, ce matin.

Et la télévision a relaté l'événement en long et en large aux informations d'hier soir.

— Je ne suis pas au courant, avoua Maribeth, flattée. Je me suis couchée très tôt, hier soir, et je n'ai même pas eu le courage d'allumer la télévision.

— Tu devais être épuisée.

— Certainement, après ce que j'ai dû supporter des journalistes à la sortie de la banque. Ils m'ont harcelée de questions.

— Et dans le placard, comment ça s'est passé avec M. Spears?

— Je ne m'en souviens plus; j'avais tellement peur...

— Même à l'école, tu étais plus courageuse que nous toutes. Tu as dû hériter ça de ton père. Au fait, as-tu revu Moss, depuis ton retour?

Maribeth ne fut pas du tout surprise par la question de son amie. Elle s'attendait à ce que, tôt ou tard, quelqu'un lui parle de Moss.

— La dernière fois que j'ai vu Moss, il a déclaré qu'il ne poserait plus jamais les yeux sur moi.

— C'est parce qu'au lieu de l'épouser, tu t'es enfuie à Atlanta en compagnie de Peg.

— C'est une vieille histoire, maintenant. J'espère que depuis, Moss a compris qu'il fallait absolument que je parte. Je ne pouvais pas l'épouser.

Carol n'insista pas.

— Tu as apporté de quoi déjeuner? lui demanda-t-elle en voyant son petit sac.

— Oui, c'est plus pratique, répondit Maribeth, décidée à ne pas lui dire que c'était surtout plus économique.

— Moi aussi. Tu veux que nous déjeunions ensemble dans le jardin?

— D'accord? Et maintenant, laisse-moi trouver

mon bureau avant que M. Spears décide d'engager une nouvelle assistante.

Après avoir salué son amie, Maribeth s'enfonça dans l'arrière-salle à la recherche de son bureau.

Ce matin-là, sans les voleurs, la petite banque semblait tout à fait différente. Pourtant, Maribeth ne put s'empêcher de frissonner en se souvenant des événements de la veille.

Elle trouva enfin son bureau; il était juste à côté de celui d'Edward. Un énorme bouquet de fleurs était posé sur la table. Curieuse, elle ouvrit l'enveloppe pour lire la carte de visite: « Bienvenue à Laurel. Baisers, Moss. » Maribeth relut le message à plusieurs reprises pour en comprendre la signification. Pourquoi Moss lui avait-il envoyé des fleurs? Était-ce pour lui dire qu'il ne lui en voulait plus, qu'ils étaient redevenus bons amis?

Elle rangea aussitôt la carte dans le tiroir de son bureau. Elle s'apprêtait à s'asseoir lorsqu'une voix de femme retentit dans le bureau d'Edward. Puis la porte s'ouvrit et une vieille dame en sortit. Maribeth la reconnut aussitôt: il s'agissait de Gertrude Givens.

— Maribeth, qu'est-ce que c'est que tous ces papiers? s'écria-t-elle en agitant une pile de documents sous son nez.

Edward était derrière elle.

La jeune femme jeta un coup d'œil au banquier avant de prendre les documents que lui tendait Gertrude.

— Il s'agit d'un dossier de demande de prêt.

— Je le sais bien, rétorqua la vieille dame en s'emparant des documents. Je en suis pas si bête, tout de même. Ce que je ne comprends pas, c'est pourquoi je dois passer par toutes ces formalités pour obtenir mon argent? Ça fait plus de trente ans que je suis cliente de cette banque et je n'ai jamais eu de problèmes. Avec James, ce n'était pas si compliqué. Quand il m'arrivait d'avoir besoin d'argent, je venais le voir et, en quelques minutes, tout était arrangé. Il me faisait confiance, lui. Alors que ce jeune bon à rien...

— Je vous fais confiance, mademoiselle Givens. Tout ce que je vous demande c'est une signature, intervint Edward d'un ton calme et patient. Nous avons nous aussi des obligations et des règlements à respecter. Il faut nous comprendre.

— Avec vos règlements et vos obligations, jeune homme, vous feriez mieux de retourner à Wall Street. Et maintenant, si vous voulez bien m'excuser, je vais de ce pas transférer mon compte ailleurs.

Avant que ses interlocuteurs aient le temps de l'arrêter, elle sortit en trombe, sans prendre la peine de fermer la porte derrière elle.

Maribeth et Edward en restèrent bouche bée.

— Eh bien, Miss Pistolet, bienvenue parmi nous, la taquina-t-il enfin.

— Monsieur Spears...

— Edward, si vous voulez bien. Après notre journée d'hier, je pense que nous pouvons nous appeler par nos prénoms.

— Eh bien, Edward, je n'ai jamais vu Mlle Givens dans un tel état. Je sais qu'elle n'est pas toujours facile et qu'elle a plutôt mauvais caractère, mais une colère pareille...

— Mauvais caractère, c'est le moins qu'on puisse dire, remarqua-t-il sèchement. Elle était folle de rage quand elle s'est présentée à mon bureau, ce matin. Pour commencer, elle m'a dit que je n'avais pas le droit de me débarrasser ainsi des perroquets de mon grand-père, qu'ils faisaient partie du décor de la banque.

— C'est vrai, moi aussi je me suis aperçu de leur disparition. Pourquoi les avez-vous enlevés?

— D'abord, j'en avais assez d'entendre les protestations de la femme de ménage qui ne cessait de se plaindre de leur saleté. Et puis, pour être franc, je ne supportais plus cette odeur, partout dans la banque. De toute façon, ce qui est fait est fait. Donc, après m'avoir vanté les mérites de mon grand-père, cette chère Mlle Givens n'a pas supporté que je lui soumette ce dossier de demande de prêt. A la vue des documents, elle a complètement perdu la tête.

Maribeth essaya de se concentrer sur la conversation pour ne pas se laisser enivrer par son parfum.

— Mais où avez-vous trouvé ces papiers?

— En fait, pas loin des oiseaux. J'ai l'impression que mon grand-père s'en servait pour couvrir le fond de leur cage. Vous vous rendez compte?

Maribeth hésita un moment avant de répondre :

— Edward, sachez que vous ne pouvez pas vous installer dans cette banque avec l'idée de la changer du jour au lendemain. Vos clients n'apprécieront pas.

— A cause d'une cage et de quelques malheureux perroquets?

— Non, Edward, là n'est pas le problème. J'essaie de vous faire comprendre que Mlle Givens n'aurait jamais dû faire une telle scène pour une affaire aussi simple. Depuis plus de trente ans qu'elle est cliente de cette banque, elle avait l'habitude de traiter différemment avec votre grand-père.

— Je comprends votre point de vue, Maribeth. Malheureusement, moi, cette femme je ne la connais pas. Dans toutes les banques, lorsqu'un client demande un prêt, il est normal qu'il remplisse un dossier, qu'il présente des garanties.

— Vous n'êtes plus à New York, Edward. N'oubliez pas qu'ici les relations entre clients et banquiers sont totalement différentes.

— Oui, mais les affaires sont les affaires.

Maribeth faillit riposter mais elle se tut. Après tout, c'était lui le patron, ici. Et n'avait-elle pas besoin de cet emploi? Elle décida de changer de tactique; le brusquer ne servirait à rien.

— Dans ce cas, pourquoi ne pas trouver une autre solution? proposa-t-elle. Pourquoi ne pas établir deux types de dossiers? Un dossier long pour les clients que nous ne connaissons pas, et un autre plus court pour les habitués. Qu'en dites-vous? s'enquit-elle avec un large sourire.

— Je veux bien, Miss Pistolet. Malheureusement, pour le moment, je ne connais en tout et pour tout que trois personnes dans cette ville, vous comprise. Vous voyez, nous ne sommes pas très avancés... Comment allez-vous, aujourd'hui?

N'ayant nullement envie de discuter plus longtemps, il avait préféré changer de sujet.

— Bien.

— Pas trop secouée après la journée d'hier?

— Non, je me suis couchée tôt et j'ai dormi comme un bébé.

Un bébé? La jeune femme n'en avait plus l'âge, mais elle était certainement tout aussi douce et chaude. Troublé par cette pensée, Edward eut soudain envie de l'attirer dans ses bras et de la serrer très fort. Il dut se retenir pour ne pas succomber à cette tentation.

— J'ai reçu également un appel du bureau du maire. Il aimerait organiser un déjeuner en votre honneur, pour vous remercier d'avoir permis l'arrestation des voleurs.

— Ce n'est pas utile, fit-elle en rougissant.

— Et puis il y a eu un appel d'un certain Moss qui voulait prendre de vos nouvelles. Je l'ai rassuré de mon mieux, mais il semblait en douter. Est-il votre petit ami? ajouta-t-il bien qu'il sache qu'il n'avait pas à se mêler de sa vie privée.

Maribeth jeta un coup d'œil furtif au bouquet avant de répondre à sa question :

— Non, un ami, simplement.

Et c'est ainsi qu'Edward comprit d'où venaient les fleurs.

— Je suppose que je devrais vous remercier de m'avoir sauvé la vie.

— Vous savez, je n'ai rien fait d'extraordinaire.

Elle espéra qu'il n'entendrait pas les battements accélérés de son cœur.

— Ce n'est pourtant pas l'avis de ma mère.

Désarmée par son sourire, Maribeth eut envie de glisser les doigts sur ses lèvres.

— Bien, il est temps que je me mette au travail, dit-elle enfin, ne sachant que faire de ses doigts.

Elle retourna donc à son bureau et commença à s'installer. Une pile de documents était entassée sur sa table près de la machine à écrire.

— Ils sont à taper, je suppose, fit-elle, ravie d'avoir enfin trouvé une occupation.

— Si vous avez besoin de renseignements supplémentaires, n'hésitez pas à me consulter.

— Merci, mais je pense que je m'en sortirai. Retournez à vos affaires et ne vous inquiétez pas pour moi.

— Très bien. Je n'ai plus qu'à regagner mon bureau et chercher de meilleurs moyens de perdre mes clients.

Maribeth se pencha sur sa machine à écrire. Mais où se trouvait donc la touche de branchement?

— Je crois que dans ce domaine vous ne vous débrouillez pas si mal.

Penchée sur sa machine, elle ne remarqua pas le regard sombre que lui jeta Edward en sortant.

Lorsque le téléphone sonna, Maribeth répondit aussitôt d'une voix assurée. Mais elle s'aperçut très vite que son interlocuteur n'était pas un client.

— Bonjour, Moss, lança-t-elle en reconnaissant immédiatement la voix, à l'autre bout du fil.

— Bonjour, Maribeth, ça fait si longtemps...

— Écoute, Moss, je ne peux pas parler, pour le moment. C'est mon premier jour au bureau et j'ai beaucoup de travail.

— Quand est-ce que je peux te voir?

— Quand tu veux. Maintenant il faut que je te quitte.

Sans un mot de plus, Maribeth raccrocha. Pourquoi Moss l'avait-il appelée? Pourquoi tenait-il à lui parler? Lui en voulait-il encore, après tout ce temps? Elle espéra que ce n'était pas le cas. Elle n'avait nullement envie de perdre un ami de si longue date. Peut-être avait-il pris le temps, pendant son absence, de réfléchir et d'admettre qu'elle avait eu raison de partir. Ils pouvaient tout de même rester bons amis. En voyant le bouquet, elle réalisa soudain qu'elle ne l'avait pas remercié. Mais il n'était pas trop tard; elle aurait bientôt l'occasion de le faire. Pourtant, elle redoutait déjà de le revoir.

Quelques jours plus tard, Maribeth décida de rendre visite à Edward.

— Tout le monde se plaint, Edward, on ne peut plus continuer comme ça, lança-t-elle en entrant dans son bureau.

Edward, attablé devant une pile de dossiers, redressa la tête, surpris.

— Encore? Qu'y a-t-il, cette fois-ci?

Maribeth alla droit au but :

— Vous avez enlevé la machine à café et le distributeur à petits pains qui se trouvaient dans le hall.

Edward se cala dans son fauteuil et poussa un long soupir de découragement. Lui qui avait dû prendre tant de décisions importantes à Wall Street, il semblait aujourd'hui avoir pour seuls problèmes les cages des perroquets et le distributeur à café.

— Maribeth, nous sommes dans une banque, non pas dans un salon de thé. Vous semblez l'oublier. De plus, nous avions toujours trop de provisions; elles finissaient à la poubelle.

— Je sais bien, mais votre grand-père tenait à ce que sa clientèle...

— Encore mon grand-père! Depuis mon arrivée, on ne me parle que de lui.

— Il tenait à ce que sa clientèle se sente totalement à l'aise à la banque. Ils en ont pris l'habitude, voyez-vous, et maintenant ils veulent que ça continue.

Edward ne put s'empêcher de sourire. Et il réalisa soudain qu'en présence de Maribeth, il avait souvent envie de sourire. Le matin, il attendait impatiemment son arrivée. Elle était souvent en retard et un peu échevelée, mais toujours très belle. Aujourd'hui, vêtue d'une robe jaune garnie d'un grand col blanc, elle ressemblait à une marguerite. Si fraîche et si éblouissante!

Mais alors, pourquoi l'imaginait-il souvent presque nue?

Il toussota légèrement avant de répondre :

— Maribeth, vous devriez savoir que la plupart des gens détestent les changements, remarqua-t-il d'une voix rauque.

— Mais Edward...

— Regardez le hall, par exemple. Ça faisait des

années qu'il avait besoin d'une bonne couche de peinture. Je décide donc de le faire repeindre. Et savez-vous ce qui m'arrive? Tout le monde se plaint parce qu'au lieu de gris, il est maintenant jaune abricot.

— Vous allez beaucoup trop vite, Edward, ils n'en ont pas l'habitude. Vous faites irruption dans cette ville, à bord de votre Mercedes et vêtu d'un élégant costume trois-pièces, et vous comptez changer tout ce que pendant des années votre grand-père s'est efforcé de garder. Ce n'est pas possible.

Elle s'arrêta pour reprendre souffle. Son regard se posa alors sur Edward et elle le toisa minutieusement des pieds à la tête. Vêtu d'un costume strict, il était très élégant.

Edward, qui ne la quittait pas des yeux, ne manqua pas de remarquer qu'elle n'était pas indifférente à son charme. Tandis qu'il contemplait son visage, il ne put résister à la sensualité de sa bouche, de ses lèvres frémissantes. A cet instant précis, il se souvint de Moss. Quel rôle jouait-il dans la vie de la jeune femme? Il aurait sacrifié toute sa fortune pour le connaître.

— J'ai l'impression que vous n'approuvez aucune de mes décisions, dit-il simplement.

— Disons que je m'intéresse surtout aux intérêts de la banque. Ce qui n'est pas vraiment votre cas, à mon avis.

— Êtes-vous toujours aussi franche?

— Souvent.

— Vous êtes si différente de la plupart des femmes que j'ai l'habitude de côtoyer..., lança-t-il en riant.

Maribeth n'apprécia pas la remarque.

— Voulez-vous dire que je ne suis pas suffisamment sophistiquée?

— Mais pas du tout, se récria-t-il en s'approchant de son siège. Miss Pistolet, ne me dites pas que vous êtes susceptible!

Saisie de colère, elle se leva d'un bond.

— Je n'aime pas que vous me compariez au genre de femmes que vous fréquentez, fulmina-t-elle à quelques centimètres de lui.

Mais elle dut se retenir pour ne pas perdre son sang-froid.

Edward éclata de rire.

— De quel genre croyez-vous qu'elles soient?

— Je n'aime pas que vous vous moquiez de moi.

Sans un mot de plus, Maribeth lui tourna le dos, prête à ouvrir la porte. La saisissant par le poignet, Edward l'en empêcha aussitôt.

— Maribeth, sachez que par-dessus tout j'apprécie votre franchise, déclara-t-il en reprenant son sérieux. Vous ne jouez pas, ce qui me plaît. Et sachez que s'il m'arrivait un jour de vous comparer à d'autres femmes, vous seriez certainement en tête de liste.

Elle le fixa en silence, incapable de lui répondre.

— La franchise a toujours été une de mes qualités, dit-elle enfin. Mais tout le monde n'est pas de cet avis car elle peut être aussi l'un de mes pires défauts.

— Je ne considère pas cela comme un défaut.

Maribeth s'aperçut alors que son poignet était toujours emprisonné dans sa main. Elle le retira doucement puis elle ouvrit la porte. Son parfum commençait à lui monter à la tête.

— Ne parlez pas si vite, vous risquez de changer d'avis, vous aussi, bredouilla-t-elle avant de le fuir enfin.

Ce soir-là, Moss l'attendait à la sortie du bureau. Son cœur bondit dans sa poitrine lorsque la jeune femme l'aperçut soudain près de sa voiture. Maribeth et Moss avaient grandi ensemble, fréquenté les mêmes écoles, effectué les mêmes farces. Ils avaient été tour à tour copains, amis, complices. Étant donné toutes leurs bêtises, elle se demandait même comment ils avaient réussi à décrocher leur diplôme. Un léger sourire éclaira alors son visage au souvenir de leurs merveilleux souvenirs d'enfance.

En la voyant, Moss se dirigea vers elle. Depuis le temps, Maribeth avait oublié à quel point il était fort et grand. Si elle n'avait pas su qu'il était camionneur, elle aurait parié qu'il était bûcheron.

— Bonjour, Maribeth, tu m'as l'air en pleine forme.

— Bonjour, Moss, toi aussi. Et merci pour les fleurs.

— Ce n'est rien, fit-il en haussant les épaules. Que dirais-tu d'une petite promenade jusqu'à la place?

Elle accepta d'un signe de tête. Tandis qu'ils marchaient, ils parlèrent de choses et d'autres, un peu comme des étrangers. Leur amitié semblait avoir disparu pour toujours. Pourquoi Moss avait-il tout gâché en lui avouant son amour? Maribeth n'avait pas voulu lui faire de mal. Pourtant, elle n'avait pu l'éviter lorsqu'elle avait dû refuser son amour. Il n'avait rien voulu entendre; alors elle s'était décidée à partir.

Sur la place, Maribeth s'assit sur un banc et Moss s'installa à ses côtés.

— Maribeth, pourquoi es-tu revenue?

— Eh bien, j'ai fini par comprendre que la vie dans une grande ville ne me plaisait pas.

Un léger sourire apparut sur le visage de Moss.

— Je me souviens de te l'avoir dit, avant ton départ.

— Oui, mais il fallait que je l'apprenne par moi-même.

— Tu n'avais aucune raison de t'enfuir ainsi à Atlanta. Ta place est ici, Maribeth, près de moi.

— Non, Moss, tu te trompes, fit-elle en secouant la tête.

Elle avait espéré qu'avec le temps, il aurait enfin compris ses sentiments à son égard, mais de toute évidence, il n'en était rien.

— Je t'aime, Maribeth, je n'ai jamais cessé de t'aimer. Et si ce jour-là je t'ai laissé partir, c'est parce que je savais que tu finirais par revenir. Pendant ces deux années d'absence, je n'ai cessé de travailler, de penser à toi, à notre vie ensemble...

— Arrête! l'interrompit-elle dans un cri. Sache que pour moi rien n'a changé. Et je n'ai nullement l'intention de rester là à t'écouter. Si tu continues ainsi, tu le regretteras un jour.

Elle se leva d'un bond, prête à partir. La voix de Moss la rappela soudain à l'ordre.

— Maribeth, nous avons toujours été si proches l'un de l'autre... Ne me fuis pas.

— Alors cesse de me parler du passé. Nous pourrons peut-être encore rester bons amis.

Sans un mot de plus, elle s'en alla.

Les deux semaines qui suivirent cet entretien lui parurent très courtes. Occupée par son déménagement ainsi que son nouvel emploi, Maribeth ne vit pas le temps passer. Au bureau, Edward et elle avaient pris l'habitude de boire leur premier café ensemble tout en discutant affaires.

— J'ai l'intention de faire installer un guichet

automatique, ouvert vingt-quatre heures sur vingt-quatre, lui avoua-t-il un jour.

Surprise, Maribeth faillit s'étrangler avec son café.

— Ne croyez-vous pas que ça risque de coûter très cher?

— Il faut que nous pensions aux intérêts de la banque.

— Vous allez trop vite, Edward, et les clients continuent à se plaindre, insista-t-elle, voyant qu'il l'écoutait à peine. Hier encore, l'un d'eux a regretté que vous ayez remplacé le vieux réfrigérateur.

— Mais il ne marchait presque plus!

— Justement, ça amusait les clients. Bien sûr, ils ne cessaient d'en réclamer un neuf, mais ils n'en voulaient pas vraiment.

Edward fronça les sourcils.

— Si vous cherchiez à me troubler, sachez que vous avez réussi.

— Écoutez, prenons un autre exemple, soupira-t-elle, découragée. Dans le hall du supermarché, il y a une petite buvette où se réunissent les hommes pendant que leurs femmes vaquent aux achats. Tout en bavardant au comptoir, ils se plaignent toujours qu'il n'y ait pas de chaises pour s'asseoir. Eh bien, imaginez un peu quelle serait leur réaction si, du jour au lendemain, le patron décidait enfin de leur en fournir?

— Je n'en ai pas la moindre idée.

— Leur petite buvette n'étant plus ce qu'elle était, ils n'y mettraient plus les pieds. Croyez-moi, Edward, ici, les gens redoutent les changements, expliqua-t-elle, voyant qu'il était de plus en plus dérouté. Car chaque fois qu'ils doivent faire face à une nouveauté, ils doivent changer leurs habitudes, oublier leurs bons souvenirs du passé... Vous savez ce qui ne va pas, chez vous? demanda-t-elle après un moment d'hésitation.

Il but une gorgée. Le café avait un goût de plus en plus amer. Une nouvelle machine s'imposait, mais ce n'était pas le moment d'en parler. Pas après ce qu'il venait d'entendre depuis son arrivée.

— Non, mais je ne vais pas tarder à le savoir, avoua-t-il.

Comme d'habitude Maribeth irait droit au but.

— Vous êtes beaucoup trop élégant pour cette ville.

— Trop élégant? Je ne vois aucun mal à cela.

— Bien sûr, mais vous n'êtes plus à Wall Street. Vous arrive-t-il parfois de prendre le temps d'observer les gens d'ici? Comment ils s'habillent, par exemple?

— Oui, à part les jeans et les chemises écossaises, ils ne connaissent rien d'autre. Moi, je refuse de me déguiser de la sorte.

— Edward! gronda-t-elle, en colère.

Elle était si mignonne, quand elle s'emportait, qu'il ne put s'empêcher de sourire.

— Bon, bon, accepta-t-il, prêt à l'écouter. Que me suggérez-vous?

— Changez donc de tenue, et soyez un peu moins strict. Ne m'avez-vous pas dit vous-même que personne ne vous adresse la parole lorsqu'il vous arrive de prendre un verre à la buvette?

Edward fronça les sourcils. A plusieurs reprises, il s'était rendu au supermarché pour des courses, et il s'était souvent arrêté à la buvette pour boire un verre. Les clients, indifférents, avaient toujours fait comme s'il n'existait pas.

— Eh bien. Je suis prête à le parier, reprit Maribeth en s'approchant de lui. Levez-vous donc et enlevez votre veste.

— Mais pourquoi? Qu'est-ce qui vous prend?
— N'ayez pas peur, je ne vous mordrai pas.
Edward se leva de son siège et lui tendit les bras.
— Très bien, allons-y, plaisanta-t-il en se débarrassant de sa veste. Et maintenant?
— Enlevez aussi votre gilet... Et votre cravate...
Tandis qu'il s'exécutait, Maribeth déboutonna les poignets de sa chemise et en roula les manches jusqu'aux coudes. A l'intérieur de sa poitrine, son cœur battait la chamade. La présence de cet homme à ses côtés la bouleversait tant qu'elle ne parvenait pas à détacher les yeux de son corps. Pourquoi pensait-elle sans cesse à son corps? Avait-elle perdu la raison?
La voix d'Edward la réveilla soudain de sa torpeur :
— J'avoue que ça ne me déplaît pas de me faire déshabiller par vous, la taquina-t-il, mais je suis sûr que tel n'est pas votre but. Dites-moi où vous voulez en venir.
— J'aimerais que vous alliez, dans cette tenue, faire un tour à la buvette pour noter, cette fois, la réaction des clients.
— Je refuse d'y aller. Je refuse de remettre les pieds dans cet endroit infâme...
— Edward!
— D'accord, j'y vais. Mais sachez que ce n'est pas parce que je m'attends à une surprise. Si j'accepte de vous obéir, c'est parce que je vous connais trop bien, et je sais que lorsque vous avez une idée derrière la tête, vous ne l'avez pas ailleurs.
— Je vous accompagne.
Il s'apprêtait à sortir lorsqu'il se souvint de sa première proposition.
— N'aviez-vous pas parlé d'un pari?

— Bien sûr, si vous êtes toujours prêt à l'accepter.

— J'accepte. Que me donnerez-vous si vous perdez, si, comme vous l'espérez, les clients continuent à m'ignorer?

— Ce que vous voulez. Dans la limite du possible, bien sûr, ajouta-t-elle pour qu'il n'y ait pas de malentendu.

— Voyons voir... Si je gagne, moi, je ne vous permets plus aucun retard, le matin, durant un mois.

— Plus de retard? D'accord, approuva-t-elle bien qu'à contrecœur. Et si c'est moi qui gagne, que me donnerez-vous?

— Ce que vous voulez.

Maribeth réfléchit un moment avant de conclure :

— Dans ce cas, si je gagne, je vous demande de m'accorder un quart d'heure supplémentaire pour mon heure de déjeuner.

— Avec ou sans mon accord, vous le prenez déjà.

— Et aussi la possibilité de recevoir des appels privés.

— Tant qu'ils ne proviennent pas d'un certain Moss, c'est d'accord. Autre chose?

— Non, je crois que c'est tout.

Dans la rue, elle marcha aux côtés d'Edward en direction de la buvette. Elle hésita un moment devant la porte avant d'entrer.

— Vous êtes prêt?

Edward acquiesça d'un signe de tête, puis il la suivit à l'intérieur.

Au comptoir de la buvette, le test fut très bref, mais convaincant. Edward lui-même ne semblait pas en croire ses yeux, ni ses oreilles.

— Je n'en reviens pas, ils m'ont parlé, remarqua-t-il, étonné, en trinquant avec sa compagne. Même Hector Billings qui, en général, n'est pas très bavard.

Un peu plus tard, tandis qu'ils regagnaient leur bureau, Maribeth regarda sa montre.

— Bien, c'est l'heure de mon déjeuner.

— Déjà? Mais il est à peine midi.

— N'oubliez pas que depuis peu j'ai droit à un quart d'heure supplémentaire. Aussi, je vais en profiter pour aller faire des courses.

Elle alla directement à son bureau, suivie de très près par Edward. Là, elle ouvrit l'un des tiroirs pour prendre son portefeuille.

— Et n'oubliez pas de vous charger du téléphone et de noter tous les messages pendant mon absence, le taquina-t-elle.

— Je n'y manquerai pas. Mais sachez que si ce Moss appelle, je ne me gênerai pas pour lui raccrocher au nez.

Maribeth l'entendit à peine. Elle venait de sortir.

Une semaine plus tard, le vendredi soir, Maribeth terminait son travail lorsque Martha Hines apparut.

— Bonjour, Martha, entrez donc, la salua Maribeth, souriante. Que puis-je pour vous?

La pauvre veuve était au bord des larmes. Sans un mot, elle remit à la jeune femme les nombreuses enveloppes qu'elle tenait à la main.

— Qu'est-ce que c'est? demanda Maribeth en sortant d'une d'entre elles un petit bordereau rose.

— Des notifications de découvert, expliqua la femme dans un murmure. La banque est en train de rejeter tous mes chèques.

— Y a-t-il un problème? intervint soudain Edward.

Il venait d'entrer dans son bureau. Maribeth hésita un instant avant de lui répondre :

— Eh bien, voyez-vous... Mme Hines dit que depuis quelque temps tous ses chèques sont refusés pour non-provision.

Edward s'approcha des deux femmes.

— Je suis désolé, madame Hines. S'il y a une erreur de notre part, nous ferons de notre mieux pour la corriger au plus vite. De quand date votre dernier versement?

— Mon dernier versement, je l'ai effectué il y a plusieurs semaines lorsque j'ai reçu ma pension de la Sécurité Sociale.

— Et que reste-t-il sur votre compte, à présent?

— Je ne sais pas, murmura la veuve, rouge de honte. Vous savez, je n'ai jamais rien compris aux chiffres. C'était toujours Melvin qui s'occupait de nos comptes.

— Vous ne savez pas? s'étonna Edward comme si, de sa vie, il n'avait entendu une chose pareille.

— Edward, Mme Hines est veuve depuis peu. Après la mort de son mari...

Maribeth se tut soudain, ne sachant que dire.

— Bien, ne bougez pas, je vais le vérifier pour vous, intervint-il en regagnant son bureau.

— Voulez-vous une tasse de café, Martha? proposa Maribeth pour faire patienter la cliente.

— Non, je vous remercie.

— Est-ce que vous continuez toujours à confectionner vos fameuses poupées de chiffon? poursuivit-elle, souriante.

— Oui, mais je n'en vends pas beaucoup, ces temps-ci. Pour ce genre d'article, la meilleure période, c'est Noël.

A ce moment précis Edward fit irruption dans la pièce.

— Madame Hines, j'ai le regret de vous apprendre que vous n'avez plus un sou sur votre compte. Plus un sou.

— Je suis désolée, monsieur Spears, c'est la première fois que je me trouve dans une telle situation, bredouilla la vieille dame en reprenant ses enveloppes. Si vous saviez comme j'ai honte...

Incapable de se retenir plus longtemps, elle éclata en sanglots.

Maribeth lui offrit aussitôt quelques mouchoirs en papier.

— Je suis veuve, monsieur Spears, et j'ai souvent du mal à joindre les deux bouts. Je fais un peu de couture, quelques heures de ménage par-ci par-là, mais ce n'est pas toujours facile... Votre grand-père comprenait mes problèmes et il ne refusait jamais mes chèques, enchaîna-t-elle en osant enfin le regarder en face. Lorsqu'il m'arrivait d'avoir un découvert, il me téléphonait d'abord pour prendre de mes nouvelles, puis il proposait de m'aider en attendant que ma situation s'améliore. Jamais il ne m'a envoyé de petits papiers roses.

— Madames Hines, essayez de comprendre, remarqua Edward d'une voix douce. Nous sommes une banque, nous ne pouvons pas nous permettre certaines opérations. Nous devons régulièrement vérifier les comptes de nos clients pour éviter des problèmes plus graves encore.

Martha Hines ne l'écoutait plus.

— Votre grand-père était un homme bien, monsieur Spears, il aimait ses clients, reprit-elle obstinément. Je vous promets d'approvisionner mon compte dès que je recevrai mon prochain chèque de la Sécurité Sociale. Ensuite, une fois que tout sera rentré dans l'ordre, je passerai vous voir afin de le clore définitivement.

— Ce ne sera pas nécessaire, madame Hines.

— Peut-être, mais j'y tiens. Après cet incident, je n'oserai plus jamais remettre les pieds dans cette banque.

Puis elle sortit de la pièce sans se retourner.

Maribeth, contrariée, s'enfonça dans son siège. Elle ne pouvait s'empêcher de penser à Martha Hines, à son visage triste, à ses yeux emplis de larmes.

— Qu'y a-t-il? demanda Edward.

— Vous devriez vous en douter.

— S'agit-il de Mme Hines? Écoutez, Maribeth, cette situation ne m'amuse pas plus que vous. Mais que faire? Elle aurait dû se douter qu'il est impossible de faire des chèques sans provision.

— Elle ne les a pas faits pour son plaisir; elle en avait certainement besoin. La nourriture ne tombe pas du ciel!

— Très bien, accepta-t-il en levant les bras au ciel. Alors, pour ne pas laisser les gens dans le besoin, nous supprimons tous ces petits papiers roses et laissons nos clients libres de signer autant de chèques qu'ils le veulent.

— Ne soyez donc pas ridicule.

— Nous nous retrouverons bientôt au chômage, sans un sou. Une banque de perdue, dix de retrouvées. Rien de grave. Mais au moins nous ne laisserons pas nos clients mourir de faim. Maribeth, nous ne sommes pas l'Armée du Salut.

Maribeth se redressa d'un bond, folle de rage.

— Savez-vous ce qui ne va pas, chez vous?

— Quoi encore?

— Banquier jusqu'au bout des ongles, vous vous fichez pas mal du bien-être de vos clients. Mais vous oubliez, Edward, que la banque, ce n'est pas seulement des chiffres, ce sont aussi des gens en chair et en os. Des gens qu'il faut écouter, respecter... Votre grand-père était au courant de cela et c'est pour cette raison qu'il était aimé de tous. Vous ne serez jamais comme lui. Jamais, car vous ne vous souciez guère de vos clients! Et maintenant, licenciez-moi si le cœur vous en dit; ça m'est complètement égal, lança-t-elle à bout de souffle.

Spears n'en fit rien. En silence il regagna son bureau. Maribeth ne le retint pas. De longues minutes s'écoulèrent avant que Maribeth décide enfin de frapper à sa porte. Elle trouva Edward assis dans son fauteuil devant une pile de brochures de jardinage éparpillées sur sa table.

— Vous vous lancez dans le jardinage, maintenant?

— Pourquoi pas? Et puis, j'aurai au moins de quoi parler lorsque j'irai de temps en temps prendre un verre à la buvette. Si toutefois on me laisse parler, ajouta-t-il d'un ton amer.

— Je vous ai fait de la peine?

— Peut-être... Allons-nous encore nous disputer?

— Je ne voulais pas vous faire de la peine, Edward. Je n'avais pas le droit de vous parler sur ce ton. Vous êtes le président de cette banque, vous seul avez le pouvoir de décider de nos intérêts. Je n'aurais pas dû intervenir.

Dans son coin, Edward ne l'écoutait pas. Perdu dans ses pensées, il observait le portrait de son grand-père accroché au-dessus d'un des classeurs. Dommage qu'il n'ait pas eu la possibilité de bien le connaître.

— Mon cher grand-père, remarqua-t-il à voix haute, vous ne manquiez pas de caractère.

Maribeth comprit qu'il souffrait encore de leur

accrochage. Elle sentit aussitôt le besoin de le réconforter, de le défendre.

— Vous non plus, vous n'en manquez pas.

A ces mots, il se tourna enfin vers elle. Longuement, il contempla son visage, son corps, puis ses cheveux.

— Ça fait longtemps que personne ne m'avait fait un tel compliment, avoua-t-il en riant. Vous savez, Maribeth, vous êtes ma seule amie, dans cette ville. Parfois, il m'arrive même de douter de cela.

— Je pensais que depuis le temps vous aviez au moins quelques relations féminines.

Edward se leva et vint s'asseoir sur le bureau.

— Ça vous ennuierait, si j'en avais?

Maribeth baissa les yeux, confuse. Tandis qu'il l'observait, elle fixa son attention sur sa chemise. Par le col déboutonné, elle aperçut, palpitante, la peau douce et hâlée de son torse. Il avait tant de charme...

— Disons que ça ne m'étonnerait pas, dit-elle simplement.

Edward éclata de rire.

— J'aurais dû me douter que vous trouveriez un moyen de détourner ma question.

Il lui prit les mains et l'attira doucement vers lui. Lentement, il commença par enlever son foulard pour lui dénouer les cheveux.

Puis, alors qu'elle ne s'y attendait pas, il l'embrassa. Sa bouche dévora ses lèvres frémissantes jusqu'à ce qu'elle ne puisse plus résister à son appel. Blottie dans ses bras, elle s'abandonna à son baiser, tremblante de désir. Lorsque Edward releva enfin la tête, il souriait.

— Vous ne pensez pas que c'est tout de même plus agréable que de se disputer? Mais je n'aurais pas dû!

Plus agréable? Comment pouvait-il dire une chose pareille? N'avait-il pas senti à quel point ce baiser l'avait émue? S'il n'y attachait aucune importance, elle pouvait en faire autant.

— Non, ce n'est rien, ne vous inquiétez pas, lança-t-elle en vérifiant l'heure. Il se fait tard, il faut que je file.

Elle n'était pas vraiment pressée de partir. Pourtant, elle se dépêcha de sortir pour essayer au plus vite d'effacer de sa mémoire le souvenir de ce baiser.

Edward la suivit. Il voulait en savoir plus.

— Des projets pour le week-end?

Avait-elle l'intention de passer le week-end en compagnie d'un homme? Avec Moss peut-être? L'idée lui déplut.

Maribeth rangea son bureau avant de partir. Lorsqu'elle se tourna vers lui, un large sourire illuminait son visage comme s'il ne s'était rien passé. Edward lui en voulut. C'est vrai, ses baisers n'avaient jamais mis les femmes en transe, mais ils ne les avaient pas non plus laissées totalement indifférentes. Comme Maribeth en ce moment.

— Je n'ai aucun projet pour le week-end, répondit-elle enfin. Ce soir, j'ai rendez-vous avec quelques amis au *Jack's Tavern* pour y prendre un verre.

— Puis-je me joindre à vous?

— Vous voulez vous joindre à nous? demanda-t-elle, surprise. Ce n'est pas un endroit très chic, vous savez.

— Ça me ferait plaisir.

— Eh bien...

— Nous pourrions y aller avec ma voiture.

— Oui, pourquoi pas?

— Très bien. Mais êtes-vous sûre que ça ne vous

ennuie pas de sortir avec moi? Je n'ai pas bonne réputation, vous savez.

— Je suis ravie de sortir avec vous, déclara-t-elle sans la moindre hésitation.

Et Edward ne se fit pas prier.

3

LE parking du bar étant complet, Edward eut beaucoup de mal à trouver une place.

— Les affaires marchent bien pour Jake, on dirait.

— Surtout le vendredi soir.

Avant même qu'ils soient complètement garés, Maribeth sauta de la voiture. Assise aux côtés d'Edward, si près de lui, elle n'avait cessé pendant tout le trajet de penser à leur baiser. Maintenant elle n'en pouvait plus.

Au bar, elle s'empressa de rejoindre ses amis, groupés autour d'une table ronde. Il y avait Ted Jones, le responsable des prêts immobiliers, Carol McCloy avec son mari, Dan, et d'autres filles de la banque. Maribeth s'installa à côté de Dan. Edward, resté debout, dut partir à la recherche d'une chaise. A son retour, il prit place aux côtés de Maribeth.

— Alors, Dan, comment vont les affaires, demanda-t-elle après avoir fait les présentations.

— Pas trop mal, je n'ai pas à me plaindre.

L'arrivée de Jake rompit soudain le cours de la conversation. Avec sa taille de colosse, sa barbe brune et son visage fermé, celui-ci ressemblait plus à un pirate qu'à un barman.

— Qu'est-ce que je vous sers, Maribeth?
— Un demi pour moi.
— Une Heineken, s'il vous plaît, demanda Edward lorsque ce fut son tour.
Jake le regarda de travers.
— Pas de bières étrangères chez moi, monsieur. Mais si vous y tenez vraiment, vous pouvez toujours en trouver à la ville d'à côté.
— Je prendrai un demi, intervint Edward.
— Bonne idée. Moi aussi, Jake, ajouta Dan.
Après avoir pris les commandes, le barman s'éloigna. Dan se pencha alors vers Edward pour lui glisser quelques mots à l'oreille.
— Ne faites pas attention à Jake. Il a l'air d'un ours, mais il n'est pas méchant, vous savez.
— Il n'a pas seulement l'air d'un ours, il en a aussi la taille, remarqua Edward avec un large sourire.
Tout le monde éclata de rire et la conversation reprit autour de la table.
Un peu plus tard, l'une des filles se leva pour partir.
— Il se fait tard, il faut que je rentre. Mes enfants doivent se demander où je suis passée.
— Oui, moi aussi, intervint une deuxième.
Puis ce fut au tour de Ted Jones de se joindre à elles.
— Nous sommes venus ensemble avec une seule voiture, expliqua-t-il pour excuser leur départ prématuré.
Maribeth ne dit rien. Mais elle espéra que la présence inattendue d'Edward n'était pas la cause de leur départ.
Carol et Dan, eux, décidèrent de rester encore un peu, le temps de finir leur verre, le temps d'interroger Edward sur sa vie à New York puis ses débuts à

Laurel. Mais, étant invités à dîner chez les parents de Carol, ils durent eux aussi finalement partir.

— Voulez-vous que je vous dépose quelque part? demanda Edward lorsqu'ils furent enfin seuls.

— Je suppose que je ferais bien de rentrer, moi aussi. Mes chats doivent se demander où je suis passée.

— Vous n'êtes peut-être pas très pressée. Que diriez-vous d'un autre verre, pour la route?

— Je veux bien en partager un avec vous.

Elle avait envie de rester encore un peu; elle se sentait bien en sa compagnie. Edward aussi. Il fit signe à Jake de leur servir un autre demi.

— Merci de m'avoir invité à me joindre à vous.

— Moi, je ne vous ai pas invité! Je vous signale que vous vous êtes invités tout seul.

— Oui, c'est vrai, sourit-il en regardant sa bouche, en se souvenant soudain du goût de ses lèvres. Vous connaissez beaucoup de monde ici.

— C'est normal, j'ai grandi à Laurel. Mais j'ai perdu de vue certains de mes meilleurs amis après mon départ pour Atlanta.

— Pourquoi êtes-vous partie pour Atlanta?

— Je ne sais pas... l'envie de bouger, je suppose. Alors, lorsque mon amie Peg me l'a proposé, je n'ai pas hésité une minute. Et puis, j'avais aussi d'autres raisons de partir, ajouta-t-elle après un bref moment d'hésitation.

— A cause de Moss?

Bien qu'il n'ait aucun droit de se mêler de ses affaires, Edward ne put s'empêcher de poser cette question. Il fallait qu'il sache ce qu'il y avait eu entre Maribeth et Moss.

— Peut-être, fit-elle vaguement.

Il versa un peu de bière dans son verre, puis le lui tendit, d'une main tremblante.

— Ça ne me regarde pas, n'est-ce pas?

Maribeth avala une longue gorgée avant de se décider à parler.

— Moss et moi, nous nous connaissons depuis longtemps, soupira-t-elle dans un murmure. Nous avons grandi ensemble et fait tant de bêtises... Vous êtes sûr que vous voulez que je vous en parle?

— Je vous écoute, Maribeth.

— Après le collège, Moss dut se rendre à Columbia pour y suivre des cours de conduite en vue de devenir camionneur. Pendant ce temps, moi j'allais à l'université, pas très loin d'ici. Nous ne nous voyions pas durant la semaine, mais nous passions tout notre temps ensemble durant les week-ends, de retour à Laurel. Puis un jour, je ne me souviens plus exactement quand, il a commencé à changer, à refuser que je sorte sans lui, à éviter que je voie d'autres garçons. Croyant qu'il voulait me protéger, un peu comme un grand frère, je ne m'inquiétais pas. En fait, il était jaloux car il était amoureux de moi.

Elle hocha la tête d'un air pensif comme si elle n'arrivait toujours pas à le croire.

Tandis qu'elle lui parlait de son passé, Edward continuait de contempler son visage, ses yeux noisette presque dorés. Il le savait maintenant, ses yeux n'étaient ni bleus, ni verts, contrairement à ce qu'il avait cru jusqu'ici.

— Comment l'avez-vous su?

— Un jour, il me l'a dit lui-même. Il m'a avoué son amour alors que je ne me doutais de rien. Comment aurais-je pu? Il n'avait jamais essayé de me prendre dans ses bras, de m'embrasser...

— Qu'est-ce que vous avez fait?

Perdue dans ses pensées, Maribeth caressa du bout du doigt le bord de son verre.

— D'abord, j'étais tellement surprise que je n'ai

pas su que lui dire. Puis j'ai compris qu'il fallait que je lui parle franchement. J'aime beaucoup Moss, je l'ai toujours beaucoup aimé, mais...

— Comme un ami seulement, n'est-ce pas?

Elle acquiesça d'un signe de tête.

— Oui, mais Moss, toujours aussi têtu, n'a rien voulu savoir. Alors, comme mon amie Peg s'apprêtait à partir pour Atlanta, j'ai décidé de l'accompagner. Moss, en apprenant la nouvelle, est devenu fou furieux. Il n'acceptait pas que je lui désobéisse, moi qui n'avais jamais osé le contredire. Il ne supportait pas que je lui tienne tête, moi qui n'avais jamais osé le faire. Je crois que c'était surtout pour cette raison-là qu'il était en colère contre moi.

— Et maintenant, qu'est-ce qu'il en dit?

— Il prétend que ses sentiments n'ont pas changé à mon égard.

— Et vous, qu'en pensez-vous?

— Je me sens complètement coincée.

— Il ne faut pas, Maribeth. Vous ne pouvez tout de même pas vous forcer si vous ne l'aimez pas.

— Je sais bien, dit-elle en essayant d'en rire. Mais je n'ai pas envie d'y penser... Parlons d'autre chose, voulez-vous?

— Très bien, accepta-t-il, ravi de ne plus entendre mentionner le nom de Moss..Est-ce que ça vous a plu de vivre à Atlanta?

— Au début, oui, bien que très souvent j'aie eu le mal du pays. Peg, elle, s'y plaisait beaucoup et j'ai accepté de rester. Mais lorsqu'elle est partie pour se marier, n'ayant plus aucune raison de vivre là-bas, j'ai décidé de revenir à Laurel.

Edward remarqua la tristesse dans ses yeux. Était-ce à cause de Moss, ou simplement à cause de ses souvenirs? La femme qu'il avait connue jusqu'ici était forte et courageuse. Était-il possible qu'elle puisse aussi être douce et vulnérable? Intrigué, il eut soudain envie de mieux la connaître.

— Êtes-vous heureuse, ici?

— J'y suis née, Edward, j'appartiens à cette ville, dit-elle, soudain lasse de raconter sa vie. Mais parlez-moi de vous. Êtes-vous heureux? N'étiez-vous donc pas heureux à New York?

— Je l'étais, mais je commençais à en avoir assez du bruit, des problèmes de circulation et des files d'attente interminables. La première fois que je suis venu ici, poursuivit-il en se calant dans son fauteuil, c'était pour les vacances scolaires, j'avais alors dix ans. Par la suite, bien que j'aie toujours eu envie de revenir, je n'ai pas eu la possibilité de le faire. Je suis donc revenu une fois à la mort de ma grand-mère, pour son enterrement, puis plus tard, à la mort de mon grand-père. Mais c'était déjà trop tard.

— Il n'est pas trop tard.

Elle prit sa main dans la sienne, émue par ce qu'elle venait d'entendre. Leurs regards se croisèrent brièvement et son cœur bondit dans sa poitrine, affolé. Maribeth retira aussitôt sa main.

— Oui, je suis ici. Mais pour combien de temps?

— Je ne comprends pas...

— Eh bien, j'espérais qu'avec le temps les gens auraient fini par m'accepter, par me faire confiance. Mais ce n'est pas le cas. Ils ne cessent de me comparer à mon grand-père et j'en sors toujours perdant.

— Il ne faut pas vous décourager, Edward. Ça viendra, vous verrez.

— Ça fait déjà plusieurs mois que je suis arrivé mais rien n'a changé.

— Que comptez-vous faire?

— Je ne sais pas, murmura-t-il en contemplant le

fond de son verre. Je ne suis pas du genre à abandonner facilement, Maribeth, mais je ne peux pas m'empêcher d'être lucide. Je ne peux pas continuer ainsi à perdre de l'argent, enchaîna-t-il avec un léger sourire. Nous savons bien tous les deux que beaucoup de nos clients ont préféré clore leur compte pour les ouvrir ailleurs. Ça me laisse du reste beaucoup de temps pour m'intéresser à autre chose, au jardinage par exemple.

— Il ne faut pas fermer, Edward, déclara-t-elle pour le rassurer. Cette banque fait partie de notre ville, comme elle l'a toujours fait. Lorsque mes grands-parents ont ouvert leur compte chez vous, je n'étais même pas née; il y a de cela plus de quarante ans.

— Je comprends votre point de vue, Maribeth. Mais je ne peux pas faire l'impossible. Si la communauté ne me reconnaît pas comme l'un de ses membres, comment voulez-vous qu'elle accepte de me confier son argent?

— Vous avez raison, dit-elle après un moment d'hésitation.

Edward la regarda, surpris.

— Vous croyez? Eh bien, pour vous dire la vérité, je n'en reviens pas. C'est si rare que vous me donniez raison...

Maribeth ne l'écoutait plus; elle avait une idée derrière la tête.

— Il ne faut pas abandonner, Edward, pas encore, lança-t-elle d'un ton ferme. D'ailleurs, je crois avoir trouvé la solution à votre problème. J'ai une idée, lui murmura-t-elle à l'oreille.

— Je me méfie de vos idées. La dernière fois que vous en avez eu une, vous avez tiré sur un homme.

— Je ne lui ai pas tiré dessus, je lui ai simplement

éraflé la main. D'ailleurs, sa blessure est pratiquement guérie.

— Ah bon? Vous êtes bien au courant, dites-moi.

— Évidemment, fit-elle, les yeux brillants de malice. Je lui rends visite, ainsi qu'à son compère, tous les samedis, à la prison, pour m'assurer que le shérif prend soin d'eux. J'ai même appris qu'ils s'appelaient en fait Figaro et Walter.

Edward hocha la tête. Cette femme était pire qu'une énigme.

— Très bien, Miss Pistolet, parlez-moi de votre idée.

— D'abord, promettez-moi que vous me faites confiance.

— Comment y échapper? Vous m'avez sauvé la vie.

— Rappelez-vous que si vous ne m'obéissez pas à la lettre, mon plan ne marchera pas. Alors, marché conclu?

— Attendez. Je ne peux pas conclure un marché sans savoir de quoi il s'agit.

— Je vois que vous ne m'accordez pas votre confiance. Dans ce cas, laissez tomber.

Edward l'observa attentivement. Drôle de fille... Aussi étrange que cela puisse paraître, tous ses plans, même les plus fous, finissaient par marcher. Alors, qu'avait-il à perdre?

— D'accord, j'accepte, dit-il enfin. Si votre plan peut m'aider à sauver la banque, je suis prêt à vous écouter. De quoi s'agit-il?

— Très simple, je vais faire de vous l'homme le plus populaire de Laurel, déclara-t-elle en le toisant des pieds à la tête.

Edward se demanda si elle n'essayait pas de se moquer de lui. Mais de toute évidence, ce n'était pas le cas.

— Et comment comptez-vous y parvenir?
— Je vais vous aider à devenir comme les gens d'ici.
— Mais pourquoi?
— Ainsi, ils vous accepteront tout de suite comme l'un des leurs.
— Je m'aime plutôt bien, comme je suis.
— Je sais. Pour le moment, je vous demande seulement d'essayer de vivre comme eux pendant quelque temps. De vous habiller comme eux, d'apprendre leurs goûts, leurs habitudes, de les fréquenter. Peut-être cela vous aidera-t-il à mieux les comprendre.
— Comment voulez-vous que je les fréquente alors qu'ils ne prennent pas la peine de m'inviter?
— Ils ont certainement peur que vous n'appréciiez pas leurs manières après avoir passé tant de temps à New York. De toute façon, vous n'aurez plus besoin d'attendre leurs invitations, ajouta-t-elle après un moment de silence. Vous m'accompagnerez en tant que mon invité. Qu'en pensez-vous?
— Et que dira Moss s'il nous voit si souvent ensemble?
— Ne vous inquiétez pas pour lui, je m'en occupe.
— Il ne tardera pas à me coincer quelque part pour me casser la figure.
— Qu'il vous touche et il verra de quel bois je me chauffe.
— Très bien... Mais dites-moi, Maribeth, pourquoi faites-vous cela?
Sa question la surprit. Perdue dans ses pensées, elle ne s'y attendait pas.
— Si je vous aide, Edward, c'est parce que je ne peux pas me permettre de perdre mon emploi, affirma-t-elle en essayant de cacher son trouble.

Vous est-il parfois arrivé de penser à ce qu'il arriverait à vos employés si la banque fermait?

— Oui, très souvent. J'ai tout prévu, d'ailleurs : je leur donnerai des indemnités importantes pour qu'ils n'en souffrent pas trop.

— Après trois semaines de travail, je ne peux pas prétendre à des indemnités de ce genre.

— Alors, si je comprends bien, vous agissez par intérêt.

— Et aussi par amitié.

— Par amitié? C'est tout ce que vous trouvez à dire, Maribeth?

Son cœur bondit au son de sa voix soudain si rauque. Mais elle s'efforça de ne pas flancher.

— Notre ville a besoin de cette banque, Edward, dit-elle simplement.

Elle remarqua aussitôt que sa réponse le déçut. De toute évidence, il en attendait une autre, une réponse qu'elle n'était pas encore capable de lui donner. Comment le pouvait-elle? Ils se connaissaient à peine... Edward s'aperçut de son malaise. Mais pourquoi? Pourquoi?

— Que se passera-t-il si votre plan échoue?

— Si j'échoue, vous fermerez la banque sans aucun regret. Mais d'abord, nous ferons notre possible pour réussir. Je vous aiderai à connaître vos clients comme s'ils étaient des amis. A apprendre leurs noms, ceux de leurs enfants et de leurs petits-enfants. Votre grand-père, lui, c'est ainsi qu'il travaillait.

— Mais il avait passé sa vie ici!

— Vous, vous n'aurez certainement pas tout ce temps, avoua-t-elle avec un large sourire. Mais ne vous inquiétez pas, vous y arriverez.

— Très bien. Quand commençons-nous?

Maribeth vérifia sa montre avant de répondre :

— Tout de suite si vous voulez. D'abord, il va falloir que nous vous débarrassions de ces vêtements.

— Excellente idée! murmura-t-il, les yeux brillants de malice. Allez-vous en faire autant?

— Vous n'y pensez pas! se rebiffa-t-elle bien que l'idée ne lui déplaise pas. Allons, dépêchons-nous avant que vous changiez d'avis.

— Je ne m'attendais pas à ça, lança Edward en examinant sa nouvelle tenue dans le miroir. Qu'en dites-vous? Je vous plais mieux, comme ça?

Maribeth essaya de calmer les battements de son cœur. En jean et chemise, il paraissait encore plus grand et plus mince. A croquer!

— Oui, ce n'est pas mal. Prenez donc aussi quelques chemises. Ensuite, nous irons faire un tour chez Lou pour vous choisir une paire de santiags.

— Des santiags? Non, pitié! je ne supporte pas les santiags. Vous oubliez que je suis banquier, Maribeth, pas cow-boy.

— Qu'est-ce que je vous propose, monsieur? demanda la vendeuse en lui montrant un grand choix de bottes.

— Écoutez, Maribeth, comment voulez-vous que je porte des santiags avec des costumes? Je serai ridicule.

— Vous ne porterez plus de costume, c'est aussi simple que ça. Essayez donc celles-ci, ordonna-t-elle en lui tendant une paire de santiags noires ourlées de fines lisières bordeaux.

— Elles ne me plaisent pas.

— Tant pis pour vous, lança Maribeth en faisant signe à la vendeuse de se mettre au travail.

A partir de ce moment-là, tout alla très vite.

La vendeuse vérifia d'abord sa pointure puis lui enfila les bottes sans même lui demander son avis.

— Très bien, nous les prenons, approuva Maribeth.

— Cela vous fera quatre-vingt-quinze dollars et soixante cents.

Edward, qui n'avait rien dit jusqu'à présent, ne put s'empêcher de protester.

— Vous voulez que je paie cent dollars pour quelque chose qui ne me plaît pas? Vous vous moquez de moi!

— Écoutez-moi bien, Edward, murmura Maribeth en l'entraînant dans un coin. Si vous continuez à refuser tout ce que je vous popose, j'annule notre marché. Pourtant, vous aviez promis de ne pas discuter.

— Je ne savais pas que vous aviez l'intention de me déguiser en Lucky Luke. J'ai l'air de quoi, avec ces santiags?

— De quelqu'un de chez nous. Vous faites la fine bouche alors que n'importe qui, au village, donnerait cher pour avoir une aussi belle paire de bottes.

— Mais je ne suis pas n'importe qui!

— Très bien, n'en parlons plus.

Edward fronça les sourcils, contrarié.

— Vous abandonnez bien vite; je vous croyais plus courageuse.

— Je n'ai pas envie de me battre pour quelqu'un qui ne veut faire aucun effort. De toute évidence, vous vous fichez pas mal de votre banque.

— Mais pas du tout!

— Alors, cessez de discuter et achetez les santiags, insista-t-elle d'une voix suppliante. Nous n'allons quand même pas passer la nuit ici.

Edward se planta devant elle, les mains sur les hanches.

— Quel toupet! Ce n'est tout de même pas moi qui ai pondu cette idée. Étant donné que c'est vous, prenez-vous-en donc à vous seul.

La gorge nouée, Maribeth le toisa des pieds à la tête. Il ne manquait pas de charme, le bougre, et il en était conscient. Lorsque leurs regards se croisèrent, elle comprit qu'il avait envie d'elle. Elle n'avait qu'à dire oui.

— J'essaie seulement de vous aider, Edward, bredouilla-t-elle enfin.

— Bon, j'achète... Mais je refuse de les porter au travail. Nous sommes bien d'accord?

— Bien sûr, je suis à vos ordres.

— En êtes-vous sûre? Moi, je ne le suis pas toujours.

Maribeth préféra ne pas relever la remarque. Sans un mot, elle l'aida à enlever les santiags, puis elle l'accompagna jusqu'à la caisse pour payer.

— Vous êtes prêt? Maintenant, il faut que nous passions prendre ma voiture, puis à mon appartement.

— A votre appartement? demanda-t-il, les yeux brillants de malice.

Elle lui sourit, contente qu'il ait accepté d'acheter les santiags bien qu'ils ne lui plaisent pas. Apparemment, malgré ses réticences, il lui faisait confiance.

— Moi, il faut que je nourrisse mes chats. Et vous, il faut que vous vous changiez. Ce soir, c'est moi qui vous sors, ajouta-t-elle devant son désarroi.

Après l'avoir déposé à sa voiture, Edward suivit Maribeth jusqu'à son appartement. Devant la porte d'entrée, elle hésita un moment avant d'ouvrir.

— Attention aux fauves, qu'ils ne vous dévorent pas!

Dès que la porte s'ouvrit, deux énormes chats coururent à leur rencontre.

— Ils m'ont l'air en pleine forme, remarqua Edward en se débarrassant de ses paquets.

Maribeth fit aussitôt les présentations.

— Corn Flakes et Raisin Sec, pour vous servir.

— Quels drôles de noms? Où les avez-vous trouvés?

— Je les ai appelés ainsi quand ils étaient tout petits, à cause de leur différence. Vous aimez les animaux?

— Oui, beaucoup. Mais je préfère les chiens, et New York n'est pas l'endroit idéal pour les chiens.

— Ah, c'est vrai, j'oubliais que vous êtes de New York.

— Ce n'est pas une tare, tout de même, lança-t-il en riant. Maintenant, indiquez-moi la salle de bains pour que j'aille me changer. N'oubliez pas que nous sortons, ce soir.

Devant le miroir, Edward eut du mal à reconnaître sa nouvelle image. Il était devenu un autre homme. Tandis qu'il s'apprêtait à sortir, il remarqua un flacon d'eau de toilette sur la petite commode. Curieux, il ne put résister à la tentation de la sentir. Oui, c'était bien la sienne. Du chèvrefeuille sauvage, sucré et épicé à la fois. Si bon! Maribeth se doutait-elle du trouble que créait en lui son parfum? Savait-elle à quel point il la trouvait attirante? S'il avait accepté de suivre son plan, c'était surtout pour passer encore plus de temps avec elle. Pour apprendre à mieux la connaître, mais aussi pour lui donner, à elle, la possibilité de mieux l'apprécier.

Maribeth eut un cri de joie en le voyant dans sa nouvelle tenue. Le banquier sérieux et distant avait totalement disparu, comme par magie.

— Edward, ça vous va bien! s'écria-t-elle à bout de souffle.

C'était le moins qu'on puisse dire. Vêtu d'une chemise décontractée et d'un jean serré, il était absolument irrésistible.

— J'espère que vous le pensez vraiment. Moi, je ne me sens pas du tout à l'aise, dans cette tenue.

Il remarqua que Maribeth avait profité de son absence pour se changer, elle aussi. Elle avait délaissé sa robe pour un jean très moulant, ce qui n'était pas pour lui déplaire. Il pouvait ainsi admirer à sa guise ses jambes longues et fines, ses hanches étroites, son dos parfaitement cambré.

— Me permettez-vous de boire un verre d'eau? Je meurs de soif, dit-il en essayant de reprendre ses esprits.

— Servez-vous, je vous en prie.

Tandis qu'il buvait, elle donna à manger à ses chats, puis arrosa rapidement les nombreuses plantes qui décoraient son appartement.

— Bien, je suis prête. Pour commencer, je vous propose de dîner au restaurant *J & M*. Ce n'est pas très cher et on peut manger à volonté du poulet frit à toutes les sauces.

— Ont-ils autre chose?

— Vous n'aimez pas le poulet? s'étonna-t-elle devant sa réaction, comme si une chose pareille était inimaginable.

Une grimace de dégoût tordit son visage.

— Lorsque j'étais à l'université, j'ai dû travailler pour gagner mon argent de poche dans un restaurant spécialisé dans le poulet. Depuis, je ne peux plus en manger, c'est plus fort que moi.

— Je vois... Qu'est-ce que vous vous préparez, pour dîner?

— En général, je prends un steak ou un hamburger. Ou parfois de la pizza surgelée car il n'y a aucun restaurant italien dans les parages.

— Si vous tenez absolument à manger italien, il va falloir que nous allions ailleurs. Laurel n'offre pas cette possibilité. Si j'avais su que vous détestiez le poulet...

— Je ne le déteste pas, seulement je préfère m'en passer.

— Vous savez, ça va être très difficile ici car la plupart des gens ne mangent que du poulet. Surtout quand ils ont des invités.

— Le jour où ils m'inviteront, je vous promets de manger tout ce que l'on me servira. Ne me dites pas que nous allons encore nous chamailler. Et si nous sortions, il se fait tard?

Maribeth n'apprécia pas sa remarque. Contrariée, elle s'empara de son sac.

— Après le dîner, nous pourrions peut-être aller au cinéma, lui proposa-t-elle. J'aimerais que vous ayez une meilleure idée des possibilités que vous offre cette ville, que vous preniez le temps de mieux connaître vos clients.

— J'apprécie l'effort que vous faites pour moi. Qu'est-ce qu'il y a comme films, au programme?

— Cette semaine, nous avons droit à un cycle de films d'horreur.

— Vous plaisantez, j'espère!

— Mais pas du tout. Vous n'aimez pas les films d'horreur?

Edward hésita un moment avant de se prononcer. Après avoir rejeté le poulet, il ne pouvait pas se permettre un second refus.

— Je les adore, s'exclama-t-il à contrecœur. J'en ai déjà l'eau à la bouche!

— Je suis contente que ça vous plaise.

Le restaurant, comme chaque vendredi soir, était plein à craquer. Tous les habitants du village semblaient s'y être réunis pour l'occasion.

— Ne vous inquiétez pas, tout ira bien, dit Maribeth en entrant pour le rassurer.

Elle le présenta d'abord à quelques amis installés près du comptoir, puis elle l'entraîna vers la table que leur avait réservée le patron. Un peu gêné, Edward avait l'impression que tous les yeux étaient braqués sur lui. Que regardaient-ils?

— Pourquoi me fixe-t-on avec cet air-là? Est-ce que c'est à cause de mes bottes?

— Je dirais plutôt que c'est à cause de votre démarche. Si vous continuez ainsi, ces pauvres filles vont vous dévorer des yeux.

— Mais, je ne comprends pas...

— Cessez donc de vous dandiner, vous n'avez pas besoin de ça pour gagner leur confiance.

— Je ne me dandine pas, très chère, lui murmura-t-il à l'oreille devant sa réaction violente. Si je marche un peu bizarrement, c'est parce que j'ai mal aux pieds. Rien de plus.

Pour éviter son regard, Maribeth se cacha derrière son menu. Les filles le regardaient, et alors? Rien de plus normal. Pourquoi se mettait-elle dans cet état? Elle n'était pas jalouse, quand même! En tout cas, Maribeth n'avait aucun droit de l'être, il ne lui avait rien promis.

— Ça fait si longtemps que je n'ai pas vu un de ceux-là, remarqua Edward en indiquant le vieux juke-box. Qu'est-ce que vous aimeriez entendre?

— Le numéro J-7, suggéra-t-elle, contente qu'il la tire de ce mauvais pas.

Il chercha rapidement la chanson de son choix.

— Merle Haggard? Qui est-ce?

— Un chanteur de country-western, c'est son dernier 45 tours. Vous aimez ce genre de musique?

— Je ne peux pas vous dire, je ne connais pas. J'écoute surtout beaucoup de classique ou du jazz.

— Vous appelez ça de la musique?

Edward n'en crut pas ses oreilles. Comment pouvait-elle traiter de la sorte Chopin, Mozart ou Benny Goodman?

— Ne vous arrive-t-il donc jamais d'écouter autre chose que du country-western?

— Oui, ça m'est arrivé une fois et je me suis endormie. Pour moi, ce n'est pas de la musique, c'est un somnifère. Mais ne faites pas cette tête-là, Edward, enchaîna-t-elle en voyant sa mine triste. De toute évidence, nous n'avons rien en commun. A part les films d'horreur, bien sûr. S'il n'y avait pas cela, nous passerions certainement notre temps à nous disputer.

A ce moment précis, Jack Harris, le patron, s'approcha de leur table pour prendre leurs commandes. Et Edward, plus souriant que jamais, n'eut aucun mal à le séduire. Il savait y faire.

Quelques heures plus tard, de retour à son appartement, Maribeth ouvrit doucement la porte d'entrée. Les chats ne se manifestant pas, elle comprit qu'ils n'avaient pas attendu son retour pour s'endormir.

— Merci... J'ai passé une très bonne soirée, dit-elle en se tournant vers Edward. C'est dommage que les films ne vous aient pas plu.

— Comment l'avez-vous deviné? demanda-t-il, surpris.

— Vous avez ronflé pendant toute la séance.

Mais elle n'osa pas lui avouer qu'elle en avait

profité pour l'observer de plus près, pour respirer pleinement son eau de toilette si enivrante.

Edward lui sourit; elle n'avait pas été dupe. Lorsqu'elle s'approcha de la porte, il voulut la retenir.

— Ne partez pas tout de suite. Restez encore un peu.

Voyant qu'elle ne l'invitait pas à entrer, il ferma la porte derrière elle. Comme elle était jolie! Ses cheveux caressés par la brise dansaient autour de son visage. Il eut envie d'y glisser les doigts, d'y enfouir la tête. Et lorsque leurs regards se croisèrent, il remarqua qu'elle aussi l'observait. Il y avait tant de questions dans ses yeux levés vers lui...

Edward comprit alors qu'il devait enfin lui parler. Il ne pouvait cacher plus longtemps ses sentiments à son égard. Jamais auparavant il n'avait éprouvé un tel trouble en compagnie d'une femme. Pourtant, des femmes, il en avait connu beaucoup, et de tous les milieux : des mannequins, des filles de sénateurs, des femmes d'affaires. Mais aucune jusqu'ici ne l'avait bouleversé, ni ne l'avait impressionné à ce point.

— Maribeth, je crois que je commence à m'attacher à vous, murmura-t-il, un peu maladroit. Je ne sais pas ce qui m'arrive, mais ça me plaît et je n'ai pas l'intention de l'empêcher.

Décidément, il avait du mal à s'exprimer, ce soir-là. En sa présence, il ne savait plus ce qu'il disait. Il avait surtout envie d'une chose, de la toucher. Incapable de résister plus longtemps à cette tentation, il enferma doucement son visage dans ses mains. Sa peau était si douce, si parfumée...

Surprise, Maribeth entrouvrit les lèvres. Edward se pencha vers elle, hésitant d'abord, cherchant dans ses yeux une réponse à sa question. Elle ne le repoussa pas.

Alors il l'embrassa. Longuement, passionnément. Puis il abandonna sa bouche pour se perdre dans le creux de son cou. Gémissante de désir, elle se blottit dans ses bras tandis qu'il dévorait de baisers son visage et ses yeux.

— Maribeth, vous êtes si belle..., souffla-t-il dans ses cheveux.

Elle secoua la tête pour essayer de retrouver ses esprits.

— Vous ne devriez pas me dire des choses pareilles, Edward. Au fond, je ne suis qu'une employée. N'oubliez pas que vous êtes mon patron.

Il en rit.

— Ce n'est pas toujours vrai d'ailleurs. En plus, vous savez très bien que je n'y attache aucune importance, et vous non plus j'en suis sûr. Il y a si longtemps que j'ai envie de vous embrasser, Maribeth, de vous serrer dans mes bras, ajouta-t-il en l'étreignant de toutes ses forces. Je me demande parfois si je ne devrais pas remercier ces deux voleurs de m'avoir permis de vous connaître, grâce à ce hold-up.

— Edward..., bredouilla-t-elle.

— Laissez-moi entrer, je vous en supplie.

Elle en mourait d'envie! Mais si elle acceptait, elle ne pourrait plus le repousser. Et c'était encore trop tôt, elle avait besoin de voir plus clair en elle.

— Ne me bousculez pas, Edward, j'ai besoin d'un peu de temps, avoua-t-elle, à bout de souffle.

— D'accord, mais ne me faites pas trop attendre. Je ne pourrais pas.

Il l'embrassa une dernière fois, puis disparut dans l'escalier. Sans se retourner, de peur de flancher.

Maribeth ferma la porte derrière elle. Dans l'obscurité de l'appartement, elle écouta, tremblante, ses pas dans le couloir. Des coups sur la porte la réveillèrent soudain de sa torpeur. Elle l'ouvrit aussitôt, sûre qu'il s'agissait d'Edward. Mais ce ne fut pas le cas. Moss Gentry apparut devant elle.

4

MARIBETH en resta bouche bée.

— Qu'est-ce que tu fais ici?

Moss parut vexé de sa réaction.

— Tu ne me demandes même pas d'entrer? bredouilla-t-il, le regard brouillé par l'alcool. J'espère que tu t'es bien amusée avec ton joli cœur! Tu as l'air complètement médusée par ses belles toilettes et sa grande voiture. Ma pauvre Maribeth...

— Tu as bu, Moss, tu ne sais plus ce que tu dis.

— Je sais très bien ce que je dis. Cet Edward Spears n'a aucun ami dans cette ville. Il a besoin de toi pour s'en faire, car toi seule peux lui permettre de surmonter cet obstacle. Il est en train de t'utiliser, ma pauvre Maribeth, et tu es tellement bête que tu ne t'en rends même pas compte.

— Va-t-en, je t'en prie, lança-t-elle sèchement.

Moss n'en fit rien; il s'approcha.

— Mais il ne va pas s'en tirer aussi facilement, poursuivit-il comme s'il ne l'entendait pas. Sa banque va se casser la figure et Spears va s'empresser de prendre le premier avion pour New York. Et toi, qu'est-ce que tu feras à ce moment-là?

— Ce que je fais avec Edward ne te concerne pas. Tu n'as aucun droit...

— Tu te trompes, j'ai tous les droits, marmonna-t-il en la saisissant violemment par le bras. Et je refuse que tu continues à le voir, sinon...

— Sinon? Comment m'en empêcheras-tu? Tu me battras, peut-être? Tu lui mettras ton poing dans la figure? D'ailleurs, tu ne sais rien faire d'autre. Je t'ai supporté jusqu'à maintenant, mais aujourd'hui j'en ai par-dessus la tête!

— Qu'est-ce que je devrais dire, moi? hurla-t-il, rouge de colère. Après avoir passé la semaine sur les routes, je rentre à la maison. Et qu'est-ce que je vois? Ma femme dans les bras d'un autre homme. Comment crois-tu que je me sens, moi?

— Je ne suis pas ta femme!

— Tu ne comprends vraiment rien. Combien de fois faut-il que je le répète? Je t'aime, Maribeth.

La jeune femme hésita un instant avant de reprendre :

— Écoute, Moss. Je suis épuisée et tu es complètement ivre. Cessons de nous disputer avant qu'il ne soït trop tard. Je ne veux pas que nous nous fassions du mal.

— J'ai mal depuis deux ans, Maribeth, depuis ton départ pour Atlanta. Tous les deux, nous avons grandi ensemble, nous nous comprenons. Spears, lui, n'est pas de chez nous et il ne le sera jamais.

Maribeth lui tourna le dos, lasse de l'entendre.

— Moss, va-t-en, je t'en prie. Je suis fatiguée et je n'ai pas envie d'évoquer le passé.

— Très bien, je vais partir. Mais n'oublie pas ce que je viens de dire. Je ne te lâcherai pas si facilement.

Puis il sortit en claquant la porte derrière lui.

Après son départ, Maribeth eut envie d'aller tout de suite au lit et de dormir pour oublier enfin sa conversation avec Moss. Mais ses dernières paroles restèrent gravées dans sa mémoire. Moss avait eu raison : Edward n'était pas de chez eux, il ne le serait certainement jamais. Elle décida donc que, dorénavant, il lui fallait rester sur ses gardes. Et plus de baisers!

Deux jours plus tard, Edward Spears dînait chez Martha Hines.

— Mes compliments, Martha, vous êtes un véritable cordon bleu, s'exclama-t-il à la fin du repas. Vous m'avez vraiment gâté.

— Vous l'avez bien mérité. Personne n'avait jamais pris le temps de me montrer comment tenir à jour mes comptes, ni mettre au point un budget. Vous m'avez beaucoup aidée, Edward, et je ne sais comment vous remercier, murmura-t-elle avec un sourire timide. Avant, c'était toujours Melvin qui se chargeait de nos comptes. Depuis qu'il est mort, je suis complètement perdue.

— Combien de temps avez-vous vécu ensemble?

— Trente-cinq ans. Et nous avons été très heureux ensemble. Malheureusement, nous n'avons pas pu avoir d'enfants. J'aime beaucoup les enfants. La plupart de mes amis sont déjà grand-mères. Si vous saviez comme je les envie, parfois...

— Pourquoi ne travaillez-vous donc pas avec les enfants? demanda Edward après un moment de réflexion. Une des garderies cherche justement quelqu'un à mi-temps. Vous pourriez gagner un peu d'argent pour arrondir vos fins de mois, en plus de la pension que vous recevez de l'état.

— Mais je ne suis pas qualifiée. Croyez-vous qu'ils accepteraient de m'engager, malgré ça?

— Pourquoi pas. On ne vous demande pas grand-chose; deux bras solides et un grand cœur devraient largement suffire.

— Je ne sais pas si je pourrai m'en sortir.
— Je suis persuadé que vous pourriez faire bien mieux que cela.
Martha étudia longuement sa proposition.
— Vous avez raison, je vais effectuer une demande d'emploi. Dès demain matin.
— Très bien, constata Edward en se levant. Maintenant, il faut que je rentre. Merci encore pour ce délicieux repas.
Martha l'accompagna jusqu'à la porte.
— J'espère que vous m'excuserez d'avoir fait une telle scène dans votre bureau.
— C'est déjà oublié. Et je vous promets de ne plus vous envoyer de petits bordereaux roses.
— Vous êtes si gentil..., Edward, avoua-t-elle.
Edward regagna sa voiture et salua une dernière fois Martha avant de prendre place au volant. Sur le trajet de retour, il ne put s'empêcher de soupirer. Apparemment, il y avait au moins une personne dans cette ville qui ne lui en voulait pas. Une seule personne dans une ville de cinq mille habitants, ce n'était pas beaucoup. Mais c'était mieux que rien.

Le lundi matin, en arrivant à la banque, Maribeth trouva Edward dans son bureau. Tout en buvant son café, il lisait le *Wall Street Journal*.
— Il va falloir changer aussi vos habitudes de lecture, lança-t-elle en lui tendant un exemplaire du *Laurel Gazette*.
— Ah, c'est vous? Je ne vous ai pas entendue entrer. Il est à peine neuf heures. Comment se peut-il que vous soyez déjà là? Seriez-vous tombée du lit, par hasard?
— Très drôle, rétorqua Maribeth en le toisant des pieds à la tête. Vous avez passé un bon week-end?
Edward admira ses longues boucles soignées, ses

lèvres légèrement teintées de rose. Il eut soudain envie de les goûter, mais il n'en fit rien.

— Oui, pas mal... Vous êtes libre ce soir? Je pensais que nous pourrions dîner ensemble.

Ne s'y attendant pas, Maribeth le regarda, bouche bée.

— Dîner? Mais pourquoi?

Edward haussa les épaules. Comment pouvait-il lui avouer qu'il était fou d'elle, qu'il était prêt à trouver n'importe quel prétexte pour être en sa compagnie?

— Je pensais qu'avant d'aller plus loin, nous devrions discuter plus en détail de notre plan d'attaque.

Il s'agissait donc d'un dîner d'affaires.

— Je vois. A quelle heure voulez-vous que je passe?

— Six heures et demie, ça vous va?

— Parfait.

Le soir même, Maribeth se rendit chez Edward, comme convenu. Pourtant, avant de se présenter à l'entrée, elle resta un moment dans la voiture pour admirer la propriété où il s'était installé depuis son arrivée. Entièrement rénovée et repeinte, la vieille maison était à peine reconnaissable.

Puis la jeune femme sortit enfin de la voiture et s'approcha de la porte d'entrée. Pourquoi se sentait-elle soudain si anxieuse? Ce n'était pourtant pas la première fois qu'elle se rendait chez un homme pour y dîner. Mais cette fois-ci, tout était différent. Jamais auparavant elle n'avait éprouvé des sentiments aussi troublants pour un homme. Un homme qui, de toute évidence, ne la laissait pas indifférente.

Elle sonna à la porte et attendit, le cœur battant, qu'il vienne lui ouvrir. Lorsqu'Edward apparut enfin, un large sourire illuminait son visage.

— J'avais peur que vous ne veniez pas, remarqua-t-il en lui faisant signe d'entrer.

Tandis qu'elle passait devant lui, il sentit son parfum lui monter à la tête. Un bref instant, il ferma les yeux, troublé. La soirée s'annonçait difficile. Comment allait-il résister à la tentation qui déjà devenait insupportable?

— Pourquoi ne serais-je pas venue? N'avez-vous pas dit vous-même que nous devions mettre au point notre plan d'attaque? D'ailleurs, j'ai déjà une idée qui risque de marcher.

En entrant dans le salon, Maribeth s'arrêta brusquement, éblouie par le décor.

— Ça vous plaît? demanda Edward devant son silence. Tout le mobilier provient de mon appartement de Manhattan.

— C'est très beau! souffla-t-elle simplement.

Mais elle ne put s'empêcher de se souvenir de l'avertissement de Moss. Effectivement, ils n'appartenaient pas au même monde. Celui d'Edward était si différent du sien, si sophistiqué, si moderne...

— C'est beau mais ça ne vous plaît pas, lança-t-il d'un air triste. N'essayez pas de me contredire, je le vois dans vos yeux.

— De toute manière, mon opinion n'a aucune importance. C'est votre maison, vous avez le droit de la décorer à votre guise.

Edward ne dit rien. Elle ne se doutait pas à quel point son opinion lui importait. Il aurait aimé que son intérieur lui plaise, lui soit accueillant. Lui aussi, il le trouva soudain froid et inhumain.

— Venez, passons à la cuisine, intervint-il, décidé à ne pas gâcher la soirée par des problèmes aussi peu importants. Vous pourrez me parler pendant que je termine le dîner.

Il la prit par la taille et l'accompagna le long du couloir. Maribeth, bient qu'elle n'ait pas besoin de son aide, se laissa faire avec plaisir.

— Ça sent très bon. Qu'est-ce que vous avez préparé?

— Des lasagnes, bien sûr. Vous aimez ça, j'espère.

— Je n'aime pas, j'adore!

Dans la cuisine, elle remarqua qu'Edward avait gardé la plupart des objets appartenant à sa grand-mère. Peut-être n'avait-il pas osé s'en débarrasser.

— Je ne me suis pas encore décidé à redécorer cette pièce, je l'aime bien comme elle est, dit-il en lui faisant signe de s'asseoir. Voulez-vous boire quelque chose? Un peu de vin? Du Coca?

— Non, merci, je préfère attendre. Avez-vous besoin d'un coup de main?

Il fut étonné qu'elle lui propose de l'aider. Ce n'était pas le cas de la plupart des femmes.

— Vous pouvez mettre la table, si ça ne vous ennuie pas. Où voulez-vous que nous dînions? A la salle à manger, ou à la cuisine?

— Je préfère la cuisine, avoua-t-elle en jetant un coup d'œil à la grande table ronde surmontée d'un énorme bouquet de fleurs. J'ai toujours aimé la chaleur de cette pièce. Je me souviens de l'époque où votre grand-mère était encore vivante. Je passais des après-midi ici avec elle à la regarder cuisiner, à dévorer ses savoureux biscuits au chocolat.

— Moi, je préférais ses crêpes. Elle les faisait si bien!

Maribeth abandonna son tabouret pour se mettre au travail. Après avoir fouillé dans les tiroirs du comptoir, elle trouva enfin les couverts pour la table.

Lorsque ce fut au tour des assiettes, ne sachant

pas où les chercher, elle dut le demander à Edward.

— Dans ce placard, juste au-dessus de ma tête, dit-il en lui faisant signe de se servir.

Tout près de lui, Maribeth se dressa sur la pointe des pieds pour atteindre la porte du placard. Tandis qu'elle prenait la vaisselle pour le dîner, Edward respira son parfum, si chaud, si doux. Puis son regard glissa le long de sa gorge pour se poser sur sa poitrine. Il dut se retenir pour ne pas y enfouir son visage, goûter à la douceur de sa peau, mordiller du bout des dents la pointe de ses seins tendus vers lui. Décidé à couper court à cette torture, il tourna brusquement la tête. Tout droit dans la porte du placard. Il y eut un bruit sourd, puis un cri de douleur.

Maribeth faillit laisser tomber la vaisselle.

— Ça va? demanda-t-elle en posant son fardeau sur la table. Où vous êtes-vous cogné?

Edward abandonna son couteau et sa tomate. Il s'essuya les mains avant de lui montrer où il s'était blessé.

Maribeth se pencha sur la tête et chercha du bout des doigts la bosse qui n'allait pas tarder à apparaître.

— Ne bougez pas, je vais y mettre des glaçons.

— Ce n'est pas la peine. Ce n'est rien.

— Taisez-vous et laissez-moi faire, ordonna-t-elle en lui faisant signe de s'asseoir sur un tabouret.

Edward voulut protester puis, voyant qu'elle n'était pas décidée à le lâcher, il préféra s'abstenir. Lorsqu'elle avait une idée en tête, elle ne l'avait pas ailleurs. Il se résigna donc à prendre place sur le tabouret. Maribeth, debout entre ses jambes écartées, lui plaça un sachet rempli de glaçons sur le crâne, à l'endroit où la bosse commençait à se manifester.

Edward retint son souffle. Il se sentit encore une fois pris au piège. Enivré par son parfum, troublé par la chaleur de son corps si près du sien, il ne savait plus où donner de la tête. La torture recommençait. Ne voyait-elle donc pas dans quel état elle le mettait? Ne comprenait-elle donc pas qu'il mourait d'envie de l'enlacer, de la serrer très fort?

— Ça va mieux? demanda-t-elle, indifférente aux battements de son cœur.

Quelle question! Ne voyait-elle donc pas qu'il n'en pouvait plus? Pourtant, il ne se plaignit pas.

— Oui, beaucoup mieux, dit-il simplement.

Au son de sa voix soudain rauque, Maribeth baissa les yeux vers son visage. Et brusquement, elle comprit ce dont il souffrait vraiment. Elle recula d'un bond, laissant échapper, dans sa hâte, le sachet de glaçons. Mais avant qu'elle ait eu le temps de fuir, il la saisit par la taille et l'attira vers lui.

— Vous feriez une très bonne infirmière, remarqua-t-il avec un large sourire. Peut-être devrais-je me mettre au lit? Qu'en pensez-vous?

Maribeth en eut le souffle coupé. Pourquoi s'affolait-elle ainsi lorsqu'il la prenait dans ses bras? Pourquoi le fuyait-elle alors qu'elle n'espérait qu'une chose : rester près de lui?

Un long moment ils se fixèrent en silence, ne sachant que dire. Puis elle sentit le visage d'Edward près du sien, son souffle sur sa joue, ses lèvres sur sa bouche. Incapable de résister, elle s'abandonna à son baiser.

Il l'embrassa de toutes ses forces. Blottie dans ses bras, Maribeth ferma les yeux et savoura pleinement les caresses de ses lèvres sur sa bouche, dans le creux de son cou, sur sa gorge palpitante de désir.

— Edward, il ne faut pas..., murmura-t-elle en s'efforçant de le repousser.

— Il le faut. Je n'en peux plus, Maribeth. J'ai tellement envie de vous.

— Mais... je ne suis pas prête. Nous nous connaissons à peine.

— Est-ce à cause de Moss? demanda-t-il en couvrant ses cheveux de baisers.

— Non.

— Quoi, alors?

— Eh bien... je ne cesse de penser à ce qui arrivera si nous échouons avec la banque.

Il fronça les sourcils.

— Vous n'avez pas confiance en moi.

— C'est faux, vous le savez bien. Mais il faut aussi que je pense à moi. Que se passera-t-il si vos affaires ne marchent pas? Qu'adviendra-t-il de moi?

— Vous pourrez toujours m'accompagner à New York.

Maribeth secoua la tête.

— Je ne pourrai jamais vivre dans une ville pareille.

Il glissa la main sous ses cheveux et lui caressa doucement la nuque. Elle frissonna dans ses bras.

— Pourquoi penser à l'avenir alors que nous avons le présent devant nous? Vous savez bien que je fais tout mon possible pour réussir, à la banque. Et ce n'est pas seulement pour vous, c'est aussi pour moi.

— Je ne comprends pas...

— Moi non plus, je n'ai pas envie de retourner à New York. J'aime vivre ici, me réveiller le matin au son du gazouillis des oiseaux, prendre le café dans le jardin, entouré de fleurs et d'écureuils. Il m'a fallu du temps pour m'habituer à vivre ici, avoua-t-il avec un sourire timide. Mais maintenant que je le suis, je ne pourrai plus jamais vivre ailleurs.

— Êtes-vous sûr que New York ne vous manquera pas?

— Au début, peut-être un peu. Mais maintenant, j'apprécie le calme de cette maison. J'ai passé bien du temps à la rénover, à la décorer; je n'ai plus envie de partir.

— Vous l'avez rénovée vous-même?

— Entièrement. J'ai dû travailler beaucoup pour arriver à ce résultat. Mais aujourd'hui, je suis très fier de moi, très fier d'avoir réussi.

— Je vous comprends. C'est beau.

— Vous voyez, j'apprends peu à peu des choses que je n'aurais jamais apprises auparavant. Bientôt je vais me lancer dans le jardinage. Ce ne sera certainement pas facile, mais avec un peu de courage et de volonté, j'y parviendrai.

— Je vous promets de vous aider, si ça vous fait plaisir.

— Ça me ferait un plaisir fou!

— Alors, dépêchez-vous de surveiller vos lasagnes pour qu'elles ne brûlent pas.

Pendant le dîner, ils ne se quittèrent pas des yeux un instant. Tout en savourant le repas, ils discutèrent de leur passé, lui à New York, elle à Laurel. Tandis que Maribeth parlait, Edward contemplait son visage, ses longues boucles dorées et sa bouche.

Plus tard, Edward prépara un feu dans la cheminée et proposa de prendre le café au salon. Assis sur le tapis, devant le feu, ils fixèrent un moment en silence les flammes.

— La prochaine fois, c'est moi qui cuisine, lança-t-elle sans remarquer qu'elle venait de l'inviter à dîner.

— Ça me ferait très plaisir. Quand?

— Quand? Eh bien... Que diriez-vous de jeudi

soir? A moins que vous n'ayez déjà d'autres projets. Dans ce cas, nous pouvons reporter l'invitation à plus tard.

— Jeudi soir, c'est bien, accepta-t-il aussitôt. Vous êtes si pâle, tout à coup. Vous êtes sûre que ça va?

— Un peu fatiguée, peut-être. Mais ça va.

— Je sais ce qu'il vous faut : un bon verre de cognac vous remontera.

— Ne vous dérangez pas...

Inutile de protester, il était déjà à la cuisine.

Quelques instants plus tard, Edward revint avec deux verres de cognac et lui en tendit un.

— Buvez ça, vous vous sentirez mieux.

— N'oubliez pas que je dois encore conduire jusque chez moi.

— Écoutez, s'il y a un problème, je vous promets de vous raccompagner. A moins que vous préfériez rester, ajouta-t-il, les yeux brillants de malice.

Pour lui prouver qu'elle n'était pas si fragile, Maribeth vida le verre d'un trait. Après l'avoir imitée, Edward posa les deux verres sur la table. Puis, sans la prévenir, il se leva et éteignit les lumières du salon. Elle le suivit des yeux, se demandant où il voulait en venir. Peut-être était-ce la règle du jeu dans les soirées à New York?

Il vint s'installer près d'elle, sur le tapis.

— C'est beaucoup mieux ainsi, vous ne trouvez pas? remarqua-t-il en lui donnant un coussin pour qu'elle soit plus à son aise. J'aime regarder le feu dans l'âtre. Bientôt, les beaux jours revenus, nous n'en ferons plus jusqu'à l'année prochaine. Il faut en profiter.

Il plaça un autre coussin sous sa tête et s'allongea à côté d'elle. Les yeux fermés, il soupira de plaisir.

Maribeth ne sut qu'en penser. Devait-elle se réjouir de son silence ou s'en offusquer?

Tandis que la lueur des flammes éclairait faiblement la pièce, elle contempla le visage d'Edward, si beau et si serein. Une caresse, un mot auraient certainement suffi à le réveiller. Il attendait que, cette fois, ce soit elle qui prenne l'initiative. Que faire? Fuir pour ne jamais revenir? Rester? Malgré l'avertissement de Moss, Maribeth ne pouvait se décider à renoncer à ses caresses, à ses baisers brûlants.

Mais que se passerait-il ensuite? Elle finirait par tomber amoureuse de lui. Et puis? Et s'il retournait à New York? S'il en avait assez de cette vie provinciale? Pire encore, s'il en avait assez d'elle? Mais surtout, si la banque s'avérait un échec, plus rien ne le retiendrait à Laurel. Elle ferma les yeux, contrariée. Comment prendre une décision avec tous ces si? Il y en avait beaucoup trop pour qu'elle accepte de courir le risque.

Prête à partir, elle se leva doucement, saisit son sac et s'approcha de la porte d'entrée. Elle s'apprêtait à l'ouvrir lorsque la voix d'Edward la retint.

— Maribeth?

— Il se fait tard, bredouilla-t-elle dans un murmure.

— Ce n'est pas en fuyant que vous parviendrez à résoudre votre problème, Maribeth. Vous savez que j'ai envie de vous, et vous avez envie de moi, vous aussi. Tôt ou tard, vous serez obligée de l'accepter.

Sans un mot, elle sortit, tiraillée par la peur de revenir sur ses pas.

Après son départ, Edward avala un autre cognac. Il en avait besoin pour oublier l'odeur de son parfum enivrant, pour effacer de sa mémoire le goût de ses lèvres si douces.

Puis il sortit dans le jardin et écouta longuement, dans l'obscurité étoilée de la nuit, les stridulations des criquets. Comme il aurait aimé que Maribeth soit près de lui, en ce moment! Comme il aurait aimé partager avec elle les joies simples de la vie!

Il était en train de tomber amoureux d'elle...

Plus tard, bien plus tard, lorsqu'il monta enfin se coucher, il eut beaucoup de mal à s'endormir.

5

TANDIS qu'elle servait du café à Edward, Maribeth jeta un coup d'œil à la foule autour d'elle. La plupart des commerçants de la ville s'étaient rassemblés pour assister à la réunion de la Chambre de commerce.

Une voix, derrière elle, la fit soudain frémir.

— Tiens, tiens, voyez qui est là! s'écria une femme.

Maribeth la reconnut aussitôt. Il s'agissait de Twyla McGregor, l'épouse de ce pauvre McGregor, qui sautait sans scrupules sur tout ce qui portait un pantalon.

— Bonjour, Twyla, comment allez-vous?

L'autre ne prit même pas la peine de lui répondre; elle n'avait d'yeux que pour son compagnon.

— Ainsi, vous êtes le fameux nouveau banquier, glousssa-t-elle en le toisant des pieds à la tête. Ravie de faire votre connaissance.

Maribeth fit aussitôt les présentations.

— M. et Mme McGregor, dit-elle en insistant sur le fait que Twyla était mariée. Ils sont dans le meuble.

— Enchantée, monsieur Spears, s'exclama Twyla en lui tendant la main.

— Appelez-moi Edward, je vous en prie.

— Cela fait si longtemps que j'attends de faire votre connaissance. Mais Maribeth ne vous lâche pas d'une semelle. J'espère que nous aurons l'occasion de nous revoir... et de devenir bons amis, ajouta-t-elle en continuant à serrer sa main dans la sienne. Je disais justement à George que nous devrions transférer tous nos comptes chez vous. C'est très désagréable d'avoir à se déplacer si loin chaque fois que nous voulons rendre visite à notre banquier.

— Je vous comprends parfaitement, madame McGregor.

— Twyla, pour les amis.

— Passez donc me voir un de ces jours afin que nous puissions en parler, proposa-t-il. Je pense que nous réussirons à nous entendre.

— J'en suis sûre.

Maribeth se sentit vraiment de trop. Après s'être excusée, elle s'éclipsa rapidement en laissant seuls les deux tourtereaux. Elle se dirigea directement vers la table où se trouvaient le café et les petits fours.

Elle remplissait sa tasse lorsque Dan McCloy vint la rejoindre.

— Bonjour, Dan, je te sers du café? demanda-t-elle sans quitter un moment des yeux Twyla et Edward, debout dans un coin.

— Non, merci. Je vois que Twyla ne perd pas de temps.

— Lui non plus, marmonna Maribeth, en colère. Tous les mêmes, ces hommes : ils ne résistent pas à ce genre de femme.

— Tiens, tiens, voyez qui arrive! remarqua Dan en se tournant vers l'entrée. Ma pauvre Maribeth, tu ne vas pas en croire tes yeux.

La jeune femme suivit aussitôt son regard.

— Moss! Que fait-il donc ici? Je ne savais pas qu'il venait à ces réunions.

— Moi non plus, c'est la première fois que je le vois. En tout cas, je peux t'assurer qu'il n'est pas membre.

— Il vient certainement faire du grabuge.

— Calme-toi, Maribeth. Tu n'en es pas sûre.

— Mais pourquoi n'est-il pas sur les routes?

— Bonjour, Moss, fit Dan en lui serrant la main.

Moss le salua, puis il jeta rapidement un coup d'œil alentour.

— Je vois que notre nouveau banquier ne perd pas de temps. Entre les mains de Twyla, je doute qu'il parle affaires, ajouta-t-il en riant aux éclats.

— Qu'est-ce que tu fais ici, Moss? intervint Maribeth sèchement.

Moss n'apprécia pas sa question.

— Je suis passé voir ce qu'on peut bien se dire à ces réunions. Je n'ai pas le droit?

A ce moment précis, Maribeth aperçut le mari de Twyla. Il se dirigeait vers sa femme qui se trouvait toujours en compagnie d'Edward. Et il n'avait pas l'air content du tout.

De peur que celui-ci provoque un scandale, elle prit Dan par le bras et l'entraîna vers le couple, laissant Moss derrière elle. Il riait aux éclats.

— Twyla! gronda George McGregor.

— George, c'est toi? Tu m'as fait peur.

Maribeth intervint alors pour calmer le jeu.

— George, permettez-moi de vous présenter notre nouveau banquier, lança-t-elle en toute hâte. M. Edward Spears.

McGregor grommela entre ses dents avant de tendre la main à son interlocuteur. Puis il se tourna vers sa femme.

— La réunion va commencer. Viens t'asseoir.

Twyla obéit sans sourciller.

Enfin seule avec Edward, Maribeth ne tarda pas à l'attaquer :

— Comme c'est gentil de votre part. Je vous emmène ici pour vous présenter aux commerçants de la ville, et vous trouvez le moyen de sauter sur la première femme venue. Elle est mariée, ne l'oubliez pas.

— Vous plaisantez, j'espère.

— Je ne crois pas, intervint Moss qui s'était approché d'eux.

— Moss, je ne t'ai pas demandé ton avis, rétorqua Maribeth avant de s'éloigner.

— Voyez-vous, mon vieux, on ne gagne pas toujours, lança Moss en s'apprêtant à suivre la jeune femme. Et puis, un conseil : ne touchez pas à la femme de McGregor. Il ne se gênerait pas pour vous mettre son poing dans la figure.

Maribeth s'installa au fond de la pièce. Edward et Dan la rejoignirent aussitôt pour s'asseoir à côté d'elle. Elle remarqua que Moss, lui, se trouvait au premier rang, à côté de son oncle, Bart Gentry.

Bart Gentry annonça l'ouverture de la séance.

— Je propose qu'aujourd'hui nous discutions du nouveau centre commercial qui vient d'ouvrir ses portes dans la ville voisine.

Et la discussion commença sans plus tarder. Mais Maribeth avait du mal à se concentrer tant elle était troublée par la présence d'Edward à ses côtés. Que lui arrivait-il donc ? Parfois elle le fuyait pour ne pas tomber dans ses bras. Parfois encore elle était follement jalouse parce qu'il parlait avec une autre femme. Il fallait à tout prix qu'elle se ressaisisse...

La voix d'Edward l'arracha soudain à ses pensées :

— Écoutez, nous n'avons plus le choix. Soit nous acceptons de perdre notre clientèle en faveur de nos voisins, soit nous nous battons pour les garder coûte que coûte. Étant donné que nous n'avons pas les moyens, ni le temps, de construire nous aussi un centre commercial, je propose que nous aménagions des rues piétonnières et que nous rénovions nos commerces afin de les rendre plus attrayants et plus accessibles.

La foule semblait tout à fait de son avis. Mais Moss continuait à protester, à rejeter ses propos sans prendre la peine de les écouter.

Incapable de supporter plus longtemps cette discussion, Maribeth décida de sortir. Seule dans la rue, elle se demanda pourquoi elle avait proposé à Edward de l'accompagner à la réunion. Il n'avait rien à y faire. Pire encore, il n'avait rien à faire à Laurel. Moss avait raison, Edward n'appartenait pas à leur communauté.

Une heure plus tard, lorsque Edward regagna son bureau, il avait l'air fou furieux. Maribeth ne l'avait encore jamais vu dans cet état.

— Pourquoi êtes-vous partie? Pourquoi m'avez-vous laissé tomber au moment où j'avais besoin de vous?

— Eh bien..., comme j'avais beaucoup de travail...

— Vous rendez-vous compte de ce que vous avez fait?

— Moi? Non. C'est vous qui vous êtes ridiculisé devant tout le monde.

Il continua à la fixer droit dans les yeux.

— Si vous n'étiez pas partie aussi subitement, vous auriez su qu'en réalité c'est loin d'être le cas. J'ai trouvé une excellente solution à notre problème et sachez que tout le monde est prêt à l'adopter. Je ne vous comprends pas, Maribeth, enchaîna-t-il en s'efforçant de retrouver son calme. Je me demande parfois si vous êtes pour ou contre moi. Avec vous, je ne sais jamais sur quel pied danser.

— Je crois que bientôt vous n'aurez plus besoin de moi, Edward, remarqua-t-elle froidement. Vous connaissez maintenant presque tout le monde, à Laurel.

— Est-ce à la femme de McGregor que vous faites allusion?

Il ne se souvenait même plus de son prénom, ni de son visage, d'ailleurs. Maribeth le regarda calmement.

— Je ne crois pas avoir mon mot à dire sur le choix de vos petites amies. Je tenais simplement à vous prévenir que Twyla est mariée, qu'elle a des enfants. Imaginez quelle serait la réaction des gens s'ils apprenaient qu'entre vous... qu'il y a quelque chose entre vous.

Edward était rouge de colère.

— Je n'en reviens pas! Vous me jetez dans les bras de cette femme alors que je ne me souviens même plus à quoi elle ressemble. Qu'y a-t-il, Maribeth, s'enquit-il en l'observant longuement. Je crois qu'il est temps que nous oubliions ces petits détails pour nous pencher enfin sur l'essentiel.

— De quoi parlez-vous?

— De nous, Maribeth. Vous êtes si changeante, tellement imprévisible... Pourquoi?

— Je n'ai nullement envie de discuter de tout cela maintenant.

— Mais moi, j'en ai envie, que cela vous plaise ou non. Auriez-vous peur, par hasard?

— Vous vous trompez, c'est faux!

— Je ne crois pas, bien que vous vous acharniez à m'en convaincre. Vous avez peur et c'est pour ça que vous n'arrivez pas à vous débarrasser de Moss. Vous l'avez toujours laissé prendre vos décisions à votre place, et vous continuez à le faire. Et il le sait, lui aussi. Je me demande comment vous avez pu tenir deux ans seule à Atlanta. Qui prenait donc les décisions pour vous, à ce moment-là?

— Moi, et moi seule! rétorqua-t-elle, furibonde. Je ne suis plus une enfant, Edward. A vingt-quatre ans, je sais ce que j'attends de la vie. Et je peux vous assurer que sauter dans votre lit ne fait pas encore partie de mes projets. Finalement, c'est ce dont vous vouliez parler, n'est-ce pas?

Elle le vit se raidir légèrement. Elle avait fait mouche.

A sa grande surprise, il ne sortit pas en claquant la porte. Au contraire, il poursuivit calmement la conversation.

— Vous me fuyez parce que vous avez peur de tomber amoureuse de moi. Et vous préférez ne pas courir ce risque car, malgré tout, vous ne m'accordez toujours pas votre confiance. Je vois que Moss a fait du bon travail. Mais savez-vous ce qui me déchire plus encore? ajouta-t-il en fronçant les sourcils. C'est que vous étiez prête à risquer votre vie pour protéger la banque des voleurs, mais que vous n'êtes pas prête à la risquer pour moi.

Cette fois, Maribeth ne sut que répondre. Que pouvait-elle dire?

— Edward..., vous allez trop vite, bredouilla-t-elle timidement. J'ai besoin de temps pour réfléchir, pour voir clair en moi. Pour le moment, je ne peux pas.

— Vous ne voulez pas.

— Nous travaillons ensemble, restons-en là.

— Mais nous avons toujours fait plus que travailler ensemble.

— Eh bien, il faudra que ça change. Sinon, je serais obligée de partir pour chercher un autre emploi.

— Est-ce une menace?

— Non, c'est la vérité.

Il l'observa longuement avant de répondre :

— Très bien, si c'est ce que vous voulez...

Puis il sortit du bureau et... claqua la porte derrière lui.

Maribeth reprit son travail. Mais son esprit était ailleurs. Pourtant, elle avait réussi à écarter Edward de son chemin, tout comme elle l'avait prévu. Alors, pourquoi se sentait-elle si malheureuse?

Le lendemain matin, Maribeth arriva au bureau avec vingt minutes de retard. Edward l'y attendait, assez contrarié.

— Excusez-moi, j'ai eu des problèmes avec ma voiture, lança-t-elle, à bout de souffle. Elle ne voulait pas démarrer.

— Épargnez-moi vos excuses, mademoiselle Bradford, je suis sûr que vous n'en manquez pas, dit-il d'un ton sec. Tâchez de récupérer votre retard à l'heure du déjeuner. Et maintenant, si vous voulez bien taper ces quelques lettres, elles doivent être prêtes pour midi au plus tard.

Maribeth jeta rapidement un coup d'œil au paquet qu'il lui tendit. Quelques lettres? Il y en avait au moins une trentaine!

— Peut-être devriez-vous engager une autre secrétaire sur-le-champ? le taquina-t-elle en espérant le faire sourire, mais en vain. Bon, elles seront prêtes.

Puis Spears lui tourna le dos et sortit sans un mot de plus. Maribeth eut soudain une envie folle de lui tirer la langue. Pour qui se prenait-il donc? S'il avait décidé dorénavant de lui parler sur ce ton, elle pouvait en faire autant.

Quelques minutes plus tard, Edward réapparut dans son bureau.

— Mademoiselle Bradford, j'ai l'impression que vous avez oublié d'arroser les plantes. Je vous signale que leurs feuilles commencent à jaunir et qu'elles ont besoin d'être taillées.

Cette fois, c'en était trop.

— Monsieur Spears, au cas où vous ne le sauriez pas, je ne suis pas horticultrice, rétorqua-t-elle froidement. En tant que secrétaire, je me charge de votre courrier, je réponds au téléphone, mais je n'ai nullement l'intention de m'occuper de vos plantes.

— Dans ce cas, je le ferai moi-même.

Vers cinq heures et demie, lasse et contrariée, Maribeth décida enfin de rentrer. Après avoir rangé son bureau, elle prit son sac et sortit par la porte de service. Ce soir-là, elle n'était pas d'humeur à affronter Edward Spears.

Le parking était déjà pratiquement désert. Elle s'approcha de sa voiture et prit place au volant. Jusque-là, tout se passait bien. Mais lorsqu'elle mit la clé de contact pour démarrer, le moteur resta muet. Elle essaya encore à plusieurs reprises, en vain. Que faire? Au bord des larmes, elle se demanda comment sortir de ce mauvais pas.

Une voix masculine attira soudain son attention.

— Vous avez des problèmes?

Elle se redressa pour répondre à son interlocuteur et trouva Edward debout devant elle. Elle ouvrit la portière et bondit hors de la voiture, heureuse qu'il ne soit pas parti avant elle. Elle était sauvée.

— C'est la batterie, je crois, dit-elle en ouvrant le capot. Je devrais acheter une nouvelle voiture, mais je n'en ai pas encore les moyens. Toutefois, j'ai des câbles dans le coffre et, si vous vouliez bien m'aider, nous pourrions certainement réussir à la faire démarrer.

Lorsqu'elle se tourna enfin vers Edward, Maribeth remarqua qu'il n'avait pas bougé le petit doigt.

— Ça ne vous ennuie pas? demanda-t-elle timidement.

Mais le regard d'Edward resta de glace.

— Mademoiselle Bradford, au cas où vous ne le sauriez pas, je ne suis pas mécanicien. Je ne peux rien pour vous. Et maintenant, si vous voulez bien m'excuser...

De toute évidence, il était encore très en colère. Mais il ne pouvait tout de même pas l'abandonner ainsi sans lui donner un coup de main!

Elle n'en revint donc pas lorsque Edward monta dans sa voiture et s'en alla sans se retourner.

Il était plus de six heures trente lorsque Maribeth rentra enfin chez elle. Les chats étant affamés, elle dut d'abord se charger de leur nourriture. Puis elle alla directement à la salle de bains prendre un cachet d'aspirine. Elle avait une migraine insupportable. Grâce à Edward, bien sûr! Comment avait-il osé l'abandonner ainsi sur le parking, seule et sans aide? Si M. Phelps n'avait pas été là pour lui donner un coup de main, elle ne s'en serait jamais sortie. Quel mufle, ce Spears! Il était bien de New York, aucun doute à cela.

Dès que sa migraine se fut atténuée, Maribeth prit une longue douche pour se détendre. Elle enfila ensuite un short et un T-shirt et laissa ses cheveux mouillés sécher à l'air libre. Ainsi ils retrouvèrent peu à peu leurs boucles naturelles.

Maintenant, il était temps de se restaurer. Comme

elle n'avait pas mangé à l'heure du déjeuner, elle mourait de faim et son ventre criait famine.

Elle se rua aussitôt sur le réfrigérateur, son seul espoir de salut. Mais là encore, elle dut renoncer : le réfrigérateur était pratiquement vide. Seuls quelques légumes, une salade et une bouteille de jus d'orange trônaient sur les étagères. Vraiment pas de quoi se réjouir!

Elle eut envie de pleurer, de hurler de colère. Après la journée qu'elle venait de passer, elle ne méritait pas une chose pareille. Plus de nourriture; plus de forces, et surtout, plus d'Edward. Finies les longues heures de travail côte à côte. Finis les éclats de rire et les coups de colère. Finis les moments de désir incontrôlable et de peur inavouée. Que lui restait-il?

Résignée, elle décida de monter se coucher. Seule une bonne nuit de sommeil réussirait à apaiser ses peines. Elle s'apprêtait à entrer dans sa chambre lorsqu'elle entendit des coups à la porte. Qui cela pouvait-il bien être? C'était Edward, en chair et en os, vêtu d'un jean et d'une chemise à carreaux.

Il éclata de rire en la voyant prête à aller au lit.

— Auriez-vous oublié par hasard que nous avions prévu de dîner ensemble, ce soir? Nous sommes bien jeudi, n'est-ce pas?

Elle le regarda bouche bée, ne sachant que dire.

— Eh bien... C'est-à-dire que...

— Un simple oui me suffira.

Maribeth hésita un moment avant de répondre. Il avait l'air de bonne humeur. Comment était-ce possible après ce qu'il lui avait fait subir, durant l'après-midi? Elle lui sourit, il fit de même. Puis, ensemble, ils éclatèrent de rire.

— Effectivement, je l'avais complètement oublié, avoua-t-elle.

— A vrai dire, je craignais que pour tout dîner, vous ne me fassiez avaler votre batterie, la taquina-t-il avant de reprendre son sérieux. A trois reprises, je suis passé devant la banque pour m'assurer que Phelps vous avait aidée à redémarrer.

— Vraiment? Je ne vous ai pas vu.

— Bien sûr, je me suis arrangé pour rester invisible.

— Je vous en veux, vous savez. Ce n'était pas gentil de votre part de m'abandonner ainsi seule au milieu du parking, sans secours. Et surtout sans défense.

— Vous sans défense, je ne peux y croire! lança-t-il en la toisant amoureusement des pieds à la tête. Je plains le pauvre imbécile qui se serait risqué à vous approcher. Je vous ai vue à l'œuvre... Mais excusez-moi. Et pardonnez-moi, dit-il enfin. J'étais tellement en colère que je n'ai pas pu m'empêcher de vous jouer ce mauvais tour.

Elle retint son souffle, troublée. Comment pouvait-elle refuser de le pardonner? Plus il la regardait, plus elle se sentait prête à fondre dans ses bras.

— Je vous pardonne, murmura-t-elle, si vous m'emmenez très vite manger quelque chose. Je meurs de faim.

— Comme je m'en doutais, j'ai apporté le dîner avec moi, annonça-t-il en déposant une grande boîte sur la table. J'espère que vous aimez la pizza; j'ai dû aller loin pour en trouver.

— J'adore la pizza presque autant que les lasagnes, sinon plus.

— Ah bon? Peut-être aurais-je dû en acheter deux! ironisa-t-il en commençant à servir. C'est dommage qu'il n'y ait pas un seul restaurant italien, dans cette ville. Je ne comprends pas pourquoi personne n'y a pensé.

— Vous devriez peut-être le proposer à la prochaine réunion de la Chambre de commerce? Voilà un sujet intéressant, enchaîna-t-elle, les yeux brillants de malice. Que diriez-vous de me raconter enfin ce qui s'est passé lors de la dernière réunion?

— Je ne sais pas. Peut-être que si vous me le demandez gentiment?...

— Edward, s'il vous plaît.

Il ne put s'empêcher de sourire.

— Très bien, je capitule, accepta-t-il, résigné. A vrai dire, je n'ai pas proposé grand-chose. Étant donné que nous n'avons pas la possibilité de construire notre propre centre commercial. J'ai donc suggéré la solution suivante : des rues piétonnières dans tout le quartier des boutiques et une rénovation complète de toutes les devantures. Ensuite, une fois les travaux terminés, nous organisons une grande fête pour célébrer l'ouverture.

— Edward, c'est une idée fantastique!

— Oui, c'est ce que tout le monde a pensé, à la réunion. Vous voyez, vous avez finalement manqué le clou du spectacle.

Il essaya de paraître naturel. Il ne fallait pas qu'elle sache à quel point son départ l'avait déçu.

Maribeth baissa les yeux.

— Excusez-moi, Edward, je n'aurais pas dû partir.

— Avalez votre pizza avant que ce soit froid, lança-t-il en essayant de changer de sujet.

Tout en mangeant, ils parlèrent de choses et d'autres. La dispute de la journée était définitivement oubliée.

Pendant ce temps, Edward observait son visage. Il était si beau et si frais, même sans maquillage.

— Alors, nous sommes redevenus amis? Et nous n'aurons plus à nous disputer, au bureau?

Maribeth serra la main qu'il lui tendait, puis elle la retira. Elle ne voulait pas qu'il voie à quel point elle était bouleversée par sa présence.

— Je l'espère, dit-elle enfin.

Puis elle se leva pour débarrasser la table. Edward suivit des yeux chacun de ses gestes. Vêtue d'un simple short et d'un T-shirt, elle était encore plus belle.

— Maribeth? bredouilla-t-il.

Au son de sa voix, son cœur bondit dans sa poitrine. La jeune femme rangea rapidement la vaisselle dans l'évier, puis elle se tourna lentement vers Edward.

— Oui?

— Venez près de moi.

Il ne s'agissait pas d'une prière, mais d'un ordre.

Maribeth s'approcha doucement de lui et, lorsqu'il lui ouvrit les bras, elle alla volontiers s'asseoir sur ses genoux. Il la serra contre lui.

— Vous m'avez beaucoup manqué, Maribeth, souffla-t-il.

— Vous aussi.

— Vous savez, j'ai décidé de ne plus vous ennuyer avec mes avances, dit-il en l'enlaçant plus fort. Et tout cas, je vais essayer.

— Edward...

— Chut, laissez-moi finir. Je me rends compte que je me suis conduit comme un stupide adolescent qui n'a jamais vu de femmes de sa vie. Mais voyez-vous, lorsque vous êtes près de moi, je ne peux m'empêcher de vous désirer. C'est plus fort que moi. Pourtant, des femmes, j'en ai connu beaucoup dans ma vie, avoua-t-il en hochant la tête d'un air pensif, mais aucune ne m'avait encore mis dans un tel état.

— Edward, il ne faut pas m'en vouloir.

Pourtant, le compliment lui alla droit au cœur. C'était si bon de savoir qu'elle ne le laissait pas indifférent, et mieux encore, qu'elle lui faisait tourner la tête...

— Je ne vous en veux pas, Maribeth, soupira-t-il. Je comprends que vous ayez besoin de temps pour réfléchir, pour prendre du recul. Et je suis sûr que les interventions de Moss n'arrangent rien, ni les miennes, avec tous mes problèmes. Mais il faut que vous me fassiez confiance, que vous sachiez que je m'acharne pour que la banque remonte.

— J'essaie, Edward, admit-elle, sans oser le regarder en face. Et je crois que vous aviez raison, hier, au sujet de Moss. Je l'ai toujours laissé prendre les décisions à ma place. Probablement depuis que nous étions enfants, ajouta-t-elle en riant. Nous étions inséparables. Il me donnait des conseils et moi, de mon côté, je l'empêchais de se mêler à des bagarres. Peut-être était-ce là la raison de mon départ pour Atlanta. J'avais besoin de m'éloigner de lui, de devenir enfin moi-même. Moss trouve que j'ai beaucoup changé, depuis. C'est peut-être vrai.

Edward l'observa d'un air songeur.

— Vous savez, ce genre de choses arrive à tout le monde un jour ou l'autre. En ce qui me concerne, c'est mon père qui a joué ce rôle, dans ma vie. Lorsque j'ai décidé de venir ici, par exemple, il a essayé de m'en empêcher par tous les moyens. Il ne supportait pas que je quitte Wall Street pour une ville comme Laurel. Il ne se doutait pas à quel point j'avais besoin de quitter New York, enchaîna-t-il avec le sourire, de me retrouver enfin face à moi-même.

Maribeth se blottit dans ses bras. Son visage enfoui au creux de son épaule, elle respira profondément l'odeur de sa peau. Comme elle se sentait bien! Elle comprit alors qu'elle l'aimait, de tout son cœur.

Lorsqu'elle releva enfin la tête, une lueur étrange illuminait le regard d'Edward. Il hésita un instant, puis se pencha doucement sur son visage tendu vers le sien.

Un baiser unit leurs lèvres entrouvertes. Puis un autre, plus long, plus profond. Enivrée par ses baisers, par ses caresses brûlantes, Maribeth se tordit dans ses bras. Elle gémit de plaisir, lorsque, plus tard, ses doigts experts, puis sa bouche taquinèrent sa peau et ses seins palpitants de désir. Comment pouvait-elle lui résister? Les yeux fermés, elle se perdit dans ses étreintes de plus en plus voluptueuses. Lorsqu'elle les rouvrit enfin, à bout de souffle, elle se raidit soudain dans ses bras.

Edward le sentit aussitôt.

— Qu'y a-t-il?

— Nous sommes jeudi.

— Oui, je sais bien. Pourquoi?

— La réunion du club a justement lieu ce jeudi. Et je suis censée y participer. Si je me dépêche, j'arriverai peut-être encore à temps pour ne pas manquer le début.

— Vous n'êtes pas obligée d'y aller.

— Malheureusement je le suis car, en tant que nouveau membre, je dois présenter un rapport. Il faut absolument que j'y aille.

— Très bien, je vous accompagne.

— Ce n'est pas la peine, je saurai me débrouiller seule.

— Je ne crois pas. Dans l'état où se trouve actuellement votre voiture...

— Oui, c'est vrai, je l'avais complètement oublié, admit-elle, voyant qu'il était inutile de discuter. Merci de m'accompagner, Edward.

Puis, sans un mot de plus, elle courut s'habiller. Quand ils arrivèrent enfin au club, la réunion n'avait pas encore commencé. Les participants, assemblés en petits groupes, bavardaient tout en prenant un verre et en grignotant des biscuits. Maribeth eut le choc de sa vie lorsque Moss entra dans la salle escorté de la belle et gracieuse Jani-Sue Billings.

— Bonjour, Maribeth, dit-elle en se joignant à eux, suivie de Moss. Bonjour, monsieur Spears. Je suis Jani-Sue Billings. Je crois que vous connaissez Hector, mon grand-père. Il m'a souvent parlé de vous.

— Vraiment? s'étonna Edward, ravi.

— Avez-vous été présenté à Moss Gentry? demanda-t-elle ensuite.

— Oui, j'ai eu ce plaisir.

Maribeth les écouta en silence. Que dire? En présence de Jani-Sue, les hommes n'avaient d'yeux que pour elle. Maribeth se sentit vraiment de trop.

— Vous êtes de New York, je crois, poursuivit Jani-Sue. J'y ai moi-même passé quelques années en tant que mannequin. Peut-être avons-nous des connaissances communes.

— Peut-être, intervint Moss avec un large sourire. Vous devriez vous voir un de ces jours pour en discuter plus tranquillement. Jani-Sue, il faut s'occuper de notre cher M. Spears, New York doit beaucoup lui manquer. Je me demande d'ailleurs comment il a pu tenir si longtemps à Laurel sans mourir d'ennui.

Maribeth le fusilla du regard mais elle continua à se taire.

— Une fois à Laurel, on peut difficilement s'en passer, déclara Jani-Sue, pour le plus grand étonnement de Moss. J'espère que vous êtes de cet avis, Edward.

Maribeth eut envie de l'applaudir. Moss, dans son

coin, était fou de rage. De toute évidence, elle n'avait pas dit ce qu'il attendait d'elle.

— Bien, maintenant il faut que je vous quitte, s'excusa Jani-Sue. Mon grand-père m'a confié son carnet de notes et il en a besoin pour commencer la réunion.

— Hector est ici? demanda Edward. Je ne l'ai pas vu.

— Bien sûr, cela fait plus de dix ans qu'il préside ce club. Et il ne manque pas une réunion! A bientôt, j'espère, lança-t-elle en saluant Maribeth et Edward. Moss, tu viens?

Il acquiesça d'un signe de tête, mais à contre-cœur.

Quelques minutes plus tard, Hector Billings ouvrait la réunion. La discussion, ce soir-là, portait sur l'organisation de la prochaine kermesse. Les participants chargés de l'organisation, chacun à leur tour, prirent la parole pour présenter leur rapport.

Puis ce fut la distribution des rôles pour les nombreux stands. Maribeth, qui en était la responsable, n'eut aucun mal à trouver des volontaires pour la plupart d'entre eux: Sarah Rawlings accepta de tenir le stand d'artisanat, Dan celui des fléchettes, Jani-Sue celui des baisers...

Mais les choses se compliquèrent lorsqu'il fallut choisir quelqu'un pour tenir le stand des trempettes. Étant le poste le plus ingrat de la kermesse, il attirait très peu de gens, surtout en cette période de l'année où il faisait encore très frais.

Voyant que personne ne voulait se porter volontaire, Moss Gentry leva la main pour intervenir:

— Je propose qu'Edward Spears se charge du stand cette année, lança-t-il au grand étonnement de l'assemblée. S'il veut faire partie de ce club, il est tout à fait normal qu'il y joue un rôle, lui aussi.

Maribeth eut envie de l'étrangler. Ne pouvait-il donc jamais se taire? Elle se tourna vers Edward, impatiente de connaître sa réponse.

— J'accepte, déclara Edward sans la moindre hésitation. De toute façon, ça ne peut tout de même pas être si mal que ça.

Maribeth ajouta le nom de Spears à sa liste de volontaires. Le pauvre, il ne se doutait pas de ce qui l'attendait à ce stand. Mais il n'allait pas tarder à le savoir.

6

LA kermesse eut lieu quelques semaines plus tard, au début du mois d'avril. Tout le monde était à son poste lorsque Maribeth et Edward se présentèrent à leur stand. Les odeurs de hot dogs, de popcorn et de barbe-à-papa provenaient des nombreuses buvettes.

Pour l'occasion, Maribeth avait loué un costume de clown qu'elle portait allègrement. Edward, lui, était vêtu d'un jean et d'un pull-over en laine. Malgré le soleil, il ne faisait pas très chaud et il n'avait pas envie de prendre froid après toutes ces trempettes.

— Je ne comprends toujours pas pourquoi tu as choisi cette tenue? lui demanda-t-il encore en hochant la tête.

— Pour attirer le maximum de clients vers notre stand, lui expliqua Maribeth. Le stand qui rapporte le plus d'argent remporte un énorme panier rempli de victuailles. Si nous le gagnons, nous pourrons aller pique-niquer demain.

— Si j'étais toi, je ne me ferais pas trop d'illusions, dit-il d'un air sceptique. Avec Jani-Sue dans les parages, nous n'avons pas beaucoup de chances. Elle n'est pas encore arrivée mais on fait déjà la queue devant sa porte.

— Oui, je vois... Maintenant il est temps de te déshabiller. Nous n'allons pas tarder à ouvrir le stand.

— Je ne demande pas mieux, la taquina-t-il en riant.

Maribeth le regarda s'éloigner. Comme d'habitude, son cœur battait la chamade. A présent, elle était tout à fait sûre de son amour pour lui, mais elle n'osait toujours pas le lui avouer. De son côté, comme promis, Edward ne la poussait pas à sauter dans son lit. Peut-être l'aimait-il, lui aussi?

L'arrivée de Moss l'arracha soudain à ses pensées.

— Pauvre Edward, dommage qu'il ne fasse pas plus chaud, ricana-t-il en plongeant la main dans le bassin rempli d'eau. Tu es mignonne comme ça, déguisée en clown. Tu veux bien me faire un numéro?

— Fiche-moi la paix, veux-tu! lança-t-elle sèchement.

— Alors, si on ne peut même plus plaisanter..., marmonna Moss d'un air vexé. Moi qui étais venu pour ton bien... J'ai appris que notre cher banquier a fait une réservation pour New York.

— Et alors? Est-ce donc interdit?

— Non, bien sûr que non. Mais je tenais à te prévenir. Edward Spears n'est pas de chez nous et il ne le sera jamais. Peut-être l'aura-t-il enfin compris.

Lorsque Moss décida de la laisser enfin seule, Maribeth eut un soupir de soulagement. Elle s'était efforcée de ne pas lui montrer son désarroi en apprenant l'éventuel départ d'Edward pour New York. Avait-il vraiment l'intention de partir?

En voyant Edward en maillot de bain, elle en eut

le souffle coupé. Fascinée, elle ne le quitta pas des yeux tandis qu'il s'approchait d'elle.

— Où puis-je déposer mes vêtements? lui demanda-t-il.

— Donne-les-moi, je vais les ranger quelque part.

— Promets-moi une chose, Maribeth. Si nous gagnons, tu viendras pique-niquer avec moi demain?

— Promis, lança-t-elle en hâte.

— Bien. J'essaierai de m'en souvenir lorsque je serai dans l'eau, en train de me geler.

Un large sourire aux lèvres, il regagna aussitôt son poste, près du bassin.

Quelques instants plus tard, la kermesse ouvrit ses portes. Une musique de carnaval jaillit des haut-parleurs tandis que la foule commençait à envahir les lieux.

Quelques personnes s'étant approchées de leur stand pour jouer, Maribeth leur expliqua brièvement la règle du jeu. Il s'agissait en fait d'acheter un certain nombre de balles, à un certain prix, et de s'en servir pour atteindre Edward tandis qu'il était dans l'eau.

Les clients, enthousiastes, décidèrent de tenter leur chance. Beaucoup moins content qu'eux, Edward dut se plier à ses exigences chaque fois qu'un client lançait une balle dans l'eau.

La plus intraitable à ce jeu fut Gertrude Givens. Comme elle en voulait encore à Edward après leur accrochage à la banque, elle trouva là un moyen de se venger. Elle acheta des balles pour une valeur de vingt dollars et, munie de ses projectiles, elle s'acharna sur le banquier.

— Avec tous les ennemis que j'ai dans cette ville, je me demande encore comment, j'ai réussi à survivre à leurs attaques, remarqua Edward, en fin de journée.

Puis, tandis que Maribeth se chargeait de fermer le stand et de faire les comptes, il alla se changer. Au moment où il sortait enfin des vestiaires, Jani-Sue apparut de nulle part, vêtue d'une longue robe bleu nuit. Maribeth les observa un moment tandis qu'ils bavardaient. Puis son cœur se serra dans sa poitrine lorsqu'elle les vit disparaître au milieu des voitures, dans le parking.

Elle resta là, immobile, perdue dans ses pensées. La voix de Dan la réveilla soudain de sa torpeur.

— Alors, où est-il? J'avais justement envie de tenter ma chance à ce jeu.

— Il est avec Jani-Sue, quelque part au milieu de ces voitures. Je me demande ce qu'ils peuvent bien y faire.

— Aucune idée...

— Viens donc prendre un café avec nous, intervint Carol avant que son mari dise une bêtise.

— Oui, viens donc avec nous, répéta Dan.

— D'accord. Mais il faut d'abord que je remette cet argent à Hector.

Le stand de barbe-à-papa que tenait Hector était déjà fermé lorsqu'ils s'y présentèrent avec l'argent. Maribeth chercha alors le trésorier pour se débarrasser au plus tôt de la petite fortune qu'elle avait accumulée avec Edward. De toute évidence, les trempettes payaient bien.

En compagnie de Dan et de Carol, elle s'installa à une table près de la buvette. Ils bavardaient tranquillement lorsqu'Edward et Jani-Sue sortirent enfin du parking. Ils tenaient à peine debout. En titubant, ils s'approchèrent tant bien que mal du petit groupe assis autour de la table.

— Ils m'ont l'air complètement ivres, ces deux-là, remarqua Dan.

— Bonjour, tout le monde, s'écria Jani-Sue en leur faisant de grands signes. Où étais-tu donc passée, Maribeth? Nous t'avons cherchée partout.

— J'étais pourtant toujours là, rétorqua-t-elle sèchement.

Edward prit une chaise et s'y effondra. Un sourire béat illuminait son visage.

— Alors, est-ce que nous avons gagné beaucoup d'argent?

Il sentait l'alcool à des kilomètres. Maribeth eut un mouvement de recul.

— Serais-tu tombé dans un baril d'alcool, par hasard?

A ces mots, Edward éclata de rire.

— Tu entends ça, Dan? Elle me demande si...

— Il ne faut pas lui en vouloir, Maribeth, intervint Jani-Sue en s'efforçant de ne pas perdre l'équilibre. Grand-père tenait absolument à lui faire goûter son nouveau breuvage. Je crois que le pauvre Edward n'a pas tenu le choc. Il n'a pas l'habitude de ces choses-là.

— Il ne doit pas en boire souvent, à New York, approuva Dan.

Maribeth se leva d'un bond. Elle avait entendu parler d'Hector et de son fameux whisky.

— Je te raccompagne, Edward, déclara-t-elle sans la moindre hésitation. Tu n'es pas en état de conduire.

Edward essaya de se lever, à grand peine.

— Mais c'est inutile. Je me sens très bien...

— Edward, ne discute pas, je te ramène à la maison.

Cette fois-ci, Maribeth le saisit par le bras et l'aida à se lever. Après avoir salué l'assemblée, elle l'accompagna jusqu'au parking puis, péniblement, jusqu'à sa voiture.

Tandis qu'Edward continuait à marmonner dans son coin, elle pria pour que le moteur ne lui joue pas encore un mauvais tour. A sa grande surprise, celui-ci démarra aussitôt.

Pendant le trajet, Maribeth roula en silence tout en surveillant son passager du coin de l'œil.

Devant la maison, malgré les protestations d'Edward, elle l'aida à descendre de voiture, puis l'accompagna jusqu'à l'entrée.

Pendu à son cou, il titubait à ses côtés.

— Comme tu sens bon, s'exclama-t-il, le visage enfoui dans la masse de ses cheveux parfumés. J'aime te sentir.

— Malheureusement, je ne peux pas en dire autant, répliqua Maribeth tout en s'efforçant de cacher son trouble. Tu empestes l'alcool.

Ensuite, il fallut ouvrir la porte puis allumer la lumière, et ce ne fut pas facile car Edward refusait de se laisser faire.

Tandis qu'elle tâtonnait dans le noir, Edward lui saisit soudain la taille.

— Qu'est-ce qui te prend? s'écria-t-elle, surprise.

— J'aime te regarder dans le noir, bafouilla-t-il en l'attirant tout contre lui. Jouer avec les reflets de la lune dans tes cheveux. Si tu savais comme ils sont beaux, et doux...

— Tout ce que je sais, c'est que tu es complètement ivre.

— Je suis ivre d'amour, lui murmura-t-il au creux de l'oreille.

Maribeth essaya de ne pas flancher.

— Fiche-moi la paix, veux-tu? Ce n'est pas le moment.

— J'avais promis de te laisser tranquille, mais ce n'est pas facile.

— Écoute, dis-moi plutôt où se trouve ta chambre. Il est temps de te mettre au lit.

Il la guida dans le noir jusqu'à la porte de sa chambre. Une fois à l'intérieur, Maribeth s'empressa d'allumer la lumière. Edward se couvrit aussitôt les yeux.

— Oh non! Pourquoi as-tu fait ça?

— Pour enlever au moins tes bottes. Tu ne vas tout de même pas dormir avec?

— Pourquoi pas?

— Maintenant, dis-moi où est ton pyjama?

— Je n'en ai pas. Je ne m'en sers jamais.

— Dans ce cas, tu dormiras tout habillé. Tant pis pour toi.

— Tu restes avec moi? Accepte, je t'en prie. J'aimerais tant que tu restes au moins cette nuit.

Maribeth ouvrit le lit, puis l'aida à s'allonger. Il ferma aussitôt les yeux. Le croyant endormi, elle s'apprêtait à sortir lorsqu'il l'appela encore:

— Tu sais ce que j'aime le plus en toi?

— Quoi donc?

— Toi. Je t'aime, tout entière, Maribeth.

— Moi aussi, je t'aime, Edward, avoua-t-elle enfin, à bout de souffle. Dans ce cas, pourquoi veux-tu retourner à New York?

Il n'entendit pas sa question. Il s'était endormi.

Le lendemain matin, vers onze heures, Maribeth entendit des coups frappés à sa porte. Elle alla tout de suite ouvrir et ne fut pas étonnée de trouver Edward sur le seuil. Il était dans tous ses états.

— Tu n'aurais pas vu ma voiture, par hasard?

Maribeth dut se retenir pour ne pas éclater de rire. De toute évidence, il ne se souvenait de rien.

— Ta voiture? demanda-t-elle d'un air innocent.
— Mais oui, je l'ai perdue. Je l'ai cherchée autour de la maison ce matin, mais elle n'était plus là.
— Edward, ta voiture est restée au parking de la kermesse. Là où tu l'as laissée, hier soir. Comme tu n'étais pas en état de conduire, nous avons pris la mienne pour rentrer.
— Enfin une bonne nouvelle, soupira-t-il, soulagé.
Maribeth ne put s'empêcher d'éclater de rire.
— Entre donc. Je vais te servir une tasse de café.
— Et un cachet d'aspirine. Ça ne me fera pas de mal.
Edward s'installa dans la cuisine. Maribeth alla chercher le médicament qu'elle lui remit, accompagné d'un verre d'eau.
— Tu n'as pas l'air en forme du tout, remarqua-t-elle.
— C'est le moins qu'on puisse dire. Non seulement j'ai la migraine, mais en plus, je suis en train de couver une bonne grippe. Ça m'apprendra à faire le malin!
Maribeth eut pitié de lui.
— Tiens, bois ton café pendant qu'il est chaud. Ça va te remettre les idées en place.
— Je me le demande. Après ce que j'ai avalé, hier soir, j'ai bien peur de les avoir perdues pour toujours.
— Mais tu n'aurais jamais dû accepter de boire ce poison!
— Je ne pouvais pas refuser alors qu'il avait invité tous ses amis pour la dégustation. Hector ne l'aurait certainement pas apprécié, dit-il avec un léger sourire. Merci quand même de m'avoir raccompagné.
— Nous avons surtout eu beaucoup de chance. Si

ma voiture n'avait pas démarré, je ne sais pas ce que nous aurions fait. A propos, comment es-tu venu jusqu'ici?

— J'ai eu la bonne idée d'appeler un taxi.

— Tu n'aurais pas pu en appeler plusieurs, il n'y en a qu'un dans toute la ville.

— Je m'en suis rendu compte après avoir attendu plus d'une heure...

Des coups frappés à la porte interrompirent leur conversation. Avant d'aller ouvrir, Maribeth jeta un coup d'œil par la fenêtre.

— Hector en personne!

— Ne lui dis surtout pas que j'ai le foie en capilotade.

— Hector, quelle surprise! s'écria Maribeth en le voyant dans l'entrée, muni d'un énorme panier de pique-nique. C'est nous qui avons gagné?

— Mais oui. Et j'aime autant vous dire que Jani-Sue n'est pas contente du tout. Elle est furieuse d'avoir eu à embrasser tous ces fermiers pour rien. Comment vous sentez-vous, ce matin? ajouta-t-il en apercevant Edward dans la cuisine.

— Très bien. En pleine forme!

— Tant mieux. Maintenant, il faut que je me sauve, Jani-Sue m'attend dans la camionnette.

Après le départ d'Hector, Maribeth admira l'énorme panier rempli de victuailles.

— Je crois qu'il va falloir que nous remercions Gertrude Givens pour son billet de vingt dollars. Sans elle, nous n'aurions jamais réussi à gagner.

— Je n'ai nullement l'intention de la remercier, marmonna Edward avant de retrouver le sourire. Tu crois que nous allons pouvoir manger tout ça?

— Je suppose que tu n'as pas vraiment envie d'aller pique-niquer.

— Bien sûr que si! Tu ne crois tout de même pas

que je vais refuser une telle proposition. Où veux-tu aller?

— Je connais l'endroit idéal. Prenons ma voiture et partons tout de suite.

— Que ferons-nous si elle ne démarre pas?

— Je suis sûre qu'elle démarrera. Je me sens chanceuse, aujourd'hui.

— Moi aussi.

Une heure plus tard, ils arrêtèrent l'auto près d'un bois et s'engouffrèrent dans un petit chemin bordé d'arbres. Maribeth marchait devant, suivie d'Edward qui portait le panier.

— C'est encore loin? s'enquit-il, épuisé par son lourd fardeau.

— Courage, mon prince, on arrive.

Quelques mètres plus loin, ils débouchèrent enfin sur une belle clairière perdue au milieu des arbres. A une extrémité, une petite cascade se jetait dans un bassin rempli d'une eau claire et limpide. Les rayons du soleil printanier baignaient ce havre de paix.

— Alors, qu'en penses-tu? demanda-t-elle d'un ton taquin.

— Maribeth, c'est si beau!

— Viens, nous allons nous installer là-bas près de la cascade.

Edward la suivit sans discuter. Maribeth étala sa couverture sur une grande pierre plate, au pied de la cascade, et elle commença à vider le panier. Pendant ce temps, Edward admirait le paysage. Sous le soleil, la clairière ressemblait à un coin de paradis.

— M'autorises-tu à enlever ma chemise? demanda-t-il.

— Bien sûr, profites-en.

Il ne se fit pas prier. Tandis qu'il se déshabillait, Maribeth préféra se concentrer sur le contenu du panier. Là, au moins, il n'y avait pas de risques.

— Alors, qu'avons-nous à déjeuner?

— Des tas de bonnes choses. Des beignets aux oignons, des sandwiches de toutes sortes, des viandes froides, des fromages, du vin... Ils ont pensé aux assiettes, aux verres et même aux serviettes. Nous sommes gâtés.

— Commençons par goûter le vin, proposa Edward en déchiffrant l'étiquette de la bouteille. Il ne doit pas être mauvais.

— Malheureusement, je n'y connais rien. A toi l'honneur.

Elle lui remit le tire-bouchon. Edward l'enfonça doucement dans le liège avant de la déboucher. Maribeth profita de ce qu'il avait la tête baissée pour admirer son torse nu et ses larges épaules. Lorsqu'il se redressa soudain, elle détourna les yeux, gênée.

— Tu es sûr que tu veux boire? demanda-t-elle dans un souffle. Après ce que tu as avalé hier soir...

— Bien sûr. N'oublie pas que nous devons célébrer notre victoire.

Il remplit un verre qu'il lui remit, puis un autre qu'il leva, prêt à porter un toast.

— A qui?

Maribeth réfléchit un moment.

— A Gertrude Givens?

— Certainement pas, bien qu'elle nous ait aidés à gagner, lança-t-il en riant. A nous, Maribeth! A nous et à notre amour!

— A nous, murmura-t-elle, troublée, en buvant quelques gorgées. Mais je ne peux pas boire beaucoup car le vin me monte tout de suite à la tête.

— Et ensuite, que t'arrive-t-il une fois qu'il t'est monté à la tête?

— Je deviens câline et je n'arrête pas de rire.

— Alors, buvons encore, fit-il en brandissant la bouteille.
— Non, pas pour moi, je n'ai pas encore terminé mon verre.
— Mais je n'ai nullement l'intention de le remplir. Je veux que tu aies la tête sur les épaules lorsque nous nous aimerons, plus tard.
— Edward! s'écria-t-elle, rouge de honte. Je crois qu'il est temps de manger. Que veux-tu?
— Quelle question! Tu devrais le savoir.
— Je n'en ai pas la moindre idée.
— Dans ce cas, un sandwich au jambon et au fromage me conviendrait, marmonna-t-il en faisant mine de bouder.
Tandis qu'ils mangeaient en silence, Edward ne la quittait pas des yeux. Plus tard, après le déjeuner, il roula sa chemise en boule et la plaça sous sa tête. Puis il s'allongea sur la couverture et observa Maribeth pendant qu'elle rangeait tous les produits dans le panier. Pourquoi était-elle si songeuse?
— A quoi penses-tu? lui demanda-t-il.
Elle sursauta en entendant soudain sa voix derrière elle.
— Je pensais à mes parents. Je passe en général tous mes dimanches avec eux.
— Tu te sens coupable?
— Oui, un peu.
— Viens près de moi.
Il lui ouvrit les bras et elle hésita à s'y blottir. Mais à quoi bon? N'était-elle pas amoureuse de lui? Elle s'allongea donc et enfouit sa tête au creux de son épaule. Enivrée par le parfum de sa peau, elle eut envie de la toucher, de la caresser du bout des doigts. Comme s'il avait lu dans ses pensées, Edward enferma soudain sa main dans la sienne et la posa

sur son torse. Prise de panique, Maribeth voulut la retirer, mais il l'en empêcha.

— N'aie pas peur, murmura-t-il dans un souffle. C'est si bon de sentir ta main sur ma peau... Touche-moi encore.

Elle n'en fit rien. Immobile, elle resta étendue près de lui.

— Parle-moi de ta famille, bredouilla-t-elle en s'efforçant de changer de sujet.

A ces mots, Edward eut envie de sourire. Comme il aurait aimé qu'elle se sente bien dans ses bras! Mais il préféra ne pas la brusquer. Elle voulait parler? Pourquoi pas?

— Comme je te l'ai dit l'autre soir, à la maison, mon père est banquier et ma mère, qui ne travaille pas, passe son temps à s'occuper d'œuvres de charité. Que veux-tu savoir de plus?

— Sont-ils riches?

— Riches, non. Mais relativement aisés, oui.

— Comment se fait-il qu'ils voyaient si peu ton grand-père?

— Je pense surtout que mon père et mon grand-père étaient tous deux très différents. Ils ne partageaient jamais les mêmes opinions, que ce soit dans le travail ou dans leur vie privée.

— A qui crois-tu que tu ressembles, toi? demanda Maribeth qui retrouvait peu à peu son calme.

— Aux deux, je suppose.

Perdu dans ses pensées, Edward lui caressa doucement les cheveux. Depuis le temps qu'il en rêvait!

— Quel genre de garçon étais-tu quand tu étais petit? poursuivit-elle.

Alors il lui parla de son enfance à New York, emplie de joies et de peines. Bercée par le son de sa voix, Maribeth ferma les yeux et écouta son histoire.

Comme dans un rêve, elle entendit au loin les chuchotements de la cascade, le souffle de la brise dans les arbres. Comme elle se sentait bien au creux de ses bras... Contre elle, Edward ferma lui aussi les yeux.

7

ILS se réveillèrent plus tard, alertés par les gouttes de pluie qui leur roulaient sur le visage. Le soleil s'était caché derrière un nuage et le ciel était devenu gris et sombre.

Maribeth eut du mal à retrouver ses esprits. Mais le réveil fut encore plus dur pour Edward. Pendant son sommeil, il n'avait cessé de rêver d'elle, qu'elle le déshabillait, qu'elle l'aimait...

— Dépêchons-nous de rentrer, bredouilla-t-il, troublé.

Il enfila sa chemise, s'empara du panier et courut en direction de la voiture. Maribeth s'empressa de le suivre.

Maintenant il pleuvait des cordes et, malgré la protection des arbres, ils ne tardèrent pas à être complètement trempés. Et Edward se mit à éternuer.

Lorsqu'ils arrivèrent enfin à la voiture, ils riaient aux éclats. Complètement mouillée, la blouse de Maribeth était plaquée sur sa poitrine, mettant en valeur ses petits seins durcis par le froid. La chemise d'Edward, ouverte, révélait son torse couvert de gouttes de pluie. Leurs regards se croisèrent longuement et ils s'arrêtèrent soudain de rire. Le cœur battant, Edward s'avança vers elle.

Maribeth, immobile, se laissa faire. Il lui glissa les mains dans les cheveux puis les souleva doucement. Ensuite, il se pencha vers elle et, du bout des lèvres, il lui embrassa le creux de l'oreille, la nuque, le cou, sa gorge palpitante. Tremblante de désir, Maribeth se pendit à son cou pour ne pas s'effondrer. Puis elle ferma les yeux et tendit sa bouche mouillée, entrouverte.

Il l'embrassa longuement, de toutes ses forces. Lorsqu'il la relâcha enfin, à bout de souffle, elle le caressa à son tour, du bout des doigts, du bout des lèvres. Il frissonna dans ses bras, enivré de plaisir. Puis soudain, sans crier gare, il se mit à éternuer, de plus en plus fort.

— Maribeth, excuse-moi mais il faut que tu le saches, je suis en train d'attraper une bonne grippe. Et je ne veux surtout pas te la passer, ajouta-t-il avec un profond soupir.

Maribeth le fixa un moment, bouche bée, avant de comprendre enfin ce qu'il lui disait. Il était brûlant! Certainement de fièvre, non pas de désir.

— Edward, pourquoi ne m'as-tu rien dit? murmura-t-elle, rouge de honte. Je vais te ramener à la maison.

— J'aimerais d'abord récupérer ma voiture, si ça ne t'ennuie pas de me déposer au parking.

— Tu es sûr que tu peux conduire?

— Oui, ne t'inquiète pas. Une fois bien au chaud, je me sentirai beaucoup mieux.

Pourquoi avait-il donc fallu qu'il se mette à éternuer justement à ce moment-là? Mais il était patient et prêt à attendre une meilleure occasion. Il ne voulait surtout pas que leur union se fasse dans de mauvaises conditions.

Il monta dans la voiture, elle prit place au volant.

— Tu ne veux pas que j'appelle le Dr Henderson?

— Je n'ai pas besoin de médecin. Tout ce qu'il me faut, c'est un bon lit chaud et du repos.

Maribeth conduisit jusqu'au parking aussi vite qu'elle le put. Pendant le trajet, elle préféra se taire, voyant qu'Edward n'avait aucune envie de parler. Il n'avait pas l'air en forme du tout.

— Tu te sens en état de conduire? demanda-t-elle encore.

— Oui, pas de problème. Je passerai te prendre demain matin et à l'heure du déjeuner, nous irons ensemble choisir une nouvelle batterie pour ta voiture.

— Écoute, ce n'est pas la peine. Je peux me débrouiller.

— Ne discute pas, protesta-t-il. Je passerai te prendre à huit heures et demie. Tâche d'être prête.

Maribeth le regarda s'éloigner. Son cœur se serra à l'idée de le laisser seul. Comme tous les hommes malades, il avait besoin que l'on s'occupe de lui, pour prendre ses médicaments, pour avoir de quoi manger avant d'aller se coucher. Edward avait besoin d'elle!

Deux heures plus tard, Maribeth sonna à la porte d'Edward. Lorsqu'il vint enfin lui ouvrir, il était en peignoir, les yeux encore gonflés de sommeil.

— Mais qu'est-ce que tu fais ici?

Elle entra sans plus attendre.

— Je suis venue m'occuper de toi. Maintenant, tu retournes au lit pendant que je te prépare quelque chose à manger.

Il la suivit à l'intérieur.

— Je n'ai pas faim.

— Tu seras affamé lorsque tu verras tout ce que je t'ai apporté, insista-t-elle sans se laisser abattre. Cesse de discuter et va te coucher.

A quoi bon protester? Sans un mot de plus, Edward regagna sa chambre. Un quart d'heure plus tard, Maribeth frappa à sa porte pour lui apporter son souper. Elle le trouva dans son lit, confortablement installé, à regarder la télévision.

— Dans l'état où tu es, tu ferais mieux de dormir, lança-t-elle d'un ton autoritaire.

— Si tu ne m'avais pas réveillé, je serais certainement encore en train de dormir, répondit-il simplement.

Elle posa le plateau sur ses genoux. Edward écarquilla les yeux en en voyant le contenu. En plus de la soupe et du fromage, elle avait aussi pensé à lui servir du melon et des fraises. Quel festin!

— Tu n'aurais pas dû te donner tant de mal.

— Ce n'est qu'une simple collation.

Maribeth jeta un coup d'œil autour d'elle, puis elle s'installa sur une chaise près du lit.

— Tu ne prends rien? demanda Edward.

— Non merci, j'ai dîné avant de venir.

Pendant qu'il mangeait, Maribeth regarda la télévision en attendant qu'il ait fini. Puis, lorsqu'il eut terminé, elle prit le plateau vide pour le ramener à la cuisine.

— Maintenant, il faut que je rentre. Il se fait tard.

— Non, reste encore un peu.

— Mais je ne peux pas.

— Dans ce cas, apporte-moi une serviette mouillée avant de partir. Je ne me sens pas bien. J'ai la tête qui tourne...

Elle s'affola en remarquant soudain que sa voix s'était affaiblie.

— Edward, pourquoi ne m'as-tu rien dit?
— Je ne voulais pas t'ennuyer, tu as déjà tant fait pour moi. Écoute, donne-moi une serviette, et ensuite va-t-en.
— Tu ne crois tout de même pas que je vais partir en te laissant dans cet état! Dis-moi où sont les serviettes.
— Dans le placard du couloir.
Maribeth se précipita hors de la chambre, puis elle revint quelques minutes plus tard avec une serviette mouillée. Après la lui avoir placée sur le front, elle borda son malade dans son lit.
— Comment te sens-tu?
Edward continua à jouer la comédie. Si elle savait!
— Pas très bien... J'ai encore la tête qui tourne, les yeux qui piquent... Reste près de moi.
Maribeth se pencha vers lui, de plus en plus inquiète. Peut-être devrait-elle appeler un médecin.
— Je suis là, le rassura-t-elle dans un murmure.
Son parfum lui monta à la tête.
— Viens près de moi.
En entendant le son de sa voix, Maribeth eut un moment de doute. Était-il vraiment malade? Lui jouait-il encore un mauvais tour? Elle observa son visage, il avait l'air d'avoir bonne mine. Puis elle lui palpa le front : apparemment, il n'avait pas de fièvre. Peut-être ne se sentait-il pas aussi mal qu'il voulait bien le prétendre? La bouche contre sa joue, elle le prit doucement par le cou.
— Edward, je suis près de toi, dit-elle dans un souffle.
Edward entrouvrit les yeux et remarqua l'inquiétude de son regard. Elle ne s'était rendu compte de rien. Il sentit ses lèvres sur sa joue, puis sur son front et en soupira de désir.

Cette fois, ce fut au tour de Maribeth de jouer le jeu.

— Dis-moi ce qui te ferait plaisir.

— Viens t'allonger près de moi pour me tenir chaud. J'ai soudain si froid...

Sans un mot de plus, Maribeth se blottit tout contre lui et glissa la tête au creux de son épaule.

— Ça va mieux?

— Et maintenant, masse-moi le ventre, s'il te plaît.

Le ventre? Mais pour quoi faire? Maribeth releva la tête; Edward souriait, les yeux brillants.

— Je ne crois pas que ce soit ton ventre qui te tracasse, se rebiffa-t-elle en lui ôtant la serviette. Et ta fièvre, elle n'est certainement pas due à un coup de froid!

Edward se redressa d'un bond, furieux de s'être fait prendre. Maribeth s'apprêtait à filer lorsqu'il la saisit soudain par la taille et l'emprisonna dans ses bras.

— Tu vas me le payer cher! lança-t-il en ricanant.

— Ah bon?

Écrasée sous son poids, elle essaya de riposter mais elle n'en avait plus ni le courage, ni l'envie.

— Je t'ai menti, tu sais, avoua enfin Edward. J'ai fait semblant de me sentir mal pour que tu restes près de moi.

Maribeth garda son calme.

— Je sais.

Edward n'en crut pas ses oreilles. Elle qui s'était montrée si distante pendant toutes ces semaines, aujourd'hui elle ne le fuyait plus. Son visage tendu vers lui était soudain rayonnant de tendresse et de douceur. Blottie dans ses bras, elle tremblait de désir.

Ému, il lui effleura les lèvres de baisers, longs puis profonds. Maribeth faillit en perdre la raison. Les yeux fermés, elle lui offrit sa bouche... Puis son corps, palpitant d'amour...

Serrée tout contre lui, elle murmura son nom encore et encore.

— Je t'aime, Edward. Je t'aime.

— Moi aussi, je t'aime, avoua-t-il doucement.

Puis, grisés de plaisir et d'amour, ils s'endormirent dans les bras l'un de l'autre. Juste avant de sombrer dans le sommeil, Maribeth se jura alors de tout faire pour l'empêcher de partir pour New York.

8

PLUS tard, à son réveil, Edward remarqua que la chambre était plongée dans l'obscurité. A sa montre, il s'aperçut qu'il était déjà sept heures du soir. Maribeth, endormie à ses côtés, respirait doucement. Ses longs cheveux lui caressaient les joues avant de glisser sur ses épaules. Lorsqu'elle soupira dans son sommeil, Edward ne put s'empêcher de sourire. Comme il l'aimait! Il se serra tout contre elle pour l'embrasser dans le cou. Son parfum, comme toujours, lui monta à la tête. Elle gémit dans ses bras en ouvrant les yeux.

— Bonjour.

— Bonjour.

— Alors, comment te sens-tu?

— En pleine forme... Mais il est temps que je rentre, dit-elle en se levant d'un bond pour rassembler ses affaires.

Il intervint aussitôt pour la retenir. La prenant par la main, il l'attira au lit et l'emprisonna sous son corps.

— Il n'en est pas question, protesta-t-il en l'étreignant de toutes ses forces. Si tu crois que je vais me laisser faire, tu te trompes.

— Toi, te laisser faire?

— Tu sais ce qui me comblerait? demanda-t-il sans lui donner la possibilité de répondre. C'est que tu passes la nuit ici, près de moi. Bien sûr, tu vas me parler de tes chats qui t'attendent pour être nourris. Mais dans ce cas, je te propose de passer à ton appartement avant d'aller acheter des provisions. Et au retour, je me charge du dîner.

Maribeth essaya de réfléchir. Ce n'était pas très facile avec Edward à ses côtés. En sa présence, elle perdait tous ses moyens.

— D'accord, mais à une condition. Je suggère que nous ramenions ma voiture pour la laisser devant mon appartement. Je ne tiens pas à ce qu'on la voie garée devant chez toi. Tu oublies que Sara Rowlings n'habite pas très loin d'ici. Elle s'amuserait à ameuter le village en apprenant la nouvelle.

— Je me fiche pas mal de Sara Rowlings.

— Moi, pas. Je n'ai pas envie qu'elle sabote ma réputation dans tout le village.

— Je ne crois pas qu'elle en soit capable, Maribeth, pas avec la réputation que tu as.

— Je ne plaisante pas, Edward; c'est important. Je vais passer certainement le reste de mes jours ici et je ne tiens pas à avoir de problèmes de ce genre. Mais ce n'est pas ton cas.

— Tu crois?

— Si ta banque ne marche pas, toi, tu peux toujours retourner à New York. Moi, je n'ai nulle part où aller.

— Tu continues à croire que je ne vais pas réussir, n'est-ce pas?

— Non, ce n'est pas ce que j'ai dit.

— Mais tu l'as pensé.

— Écoute, je n'ai pas envie que tout le monde sache que nous passons la nuit ensemble.

— Très bien, nous ferons comme il te plaira. Mais

pour le moment, je te propose de prendre une bonne douche.

Bien qu'elle n'ait jamais eu auparavant à faire face à une telle invitation, Maribeth n'hésita pas une seconde. S'il croyait qu'elle allait reculer, il se trompait beaucoup.

— Bonne idée, déclara-t-elle, un large sourire aux lèvres.

Dans la douche, ils se prélassèrent longuement sous l'eau chaude. Les mains pleines de savon, Edward partit à la découverte de son corps, caressant doucement chaque recoin, lui taquinant du bout des lèvres le visage et la bouche. Puis ce fut au tour de Maribeth. Reprenant courage, elle le massa du bout des doigts, d'abord les épaules, puis le torse, le ventre, le creux des cuisses... Edward en gémit de plaisir.

— Maribeth, si tu veux que nous ayons de quoi dîner ce soir, je te conseille de ne plus me torturer. Je n'en peux plus, souffla-t-il d'une voix haletante de désir.

Elle lui obéit aussitôt. Elle sortit donc de la douche pour qu'il finisse de se laver seul, loin de ses caresses.

Il était en train de s'essuyer lorsque l'on sonna à la porte.

— Ne bouge pas, je m'en occupe, lança-t-il en enfilant son peignoir.

Qui pouvait bien lui rendre visite à une heure aussi tardive? Edward n'attendait personne. Il ouvrit la porte. Moss Gentry était là, devant lui.

— Où est-elle? gronda-t-il en le toisant des pieds à la tête.

— De qui voulez-vous parler?

— De Maribeth, Spears. Et n'essayez pas de me raconter des histoires, j'ai vu sa voiture devant l'entrée. Où est-elle?

Cette fois, Edward alla droit au but :
— Sous la douche.
Le visage de Moss pâlit aussitôt.
— Je vois, elle a fini par passer à la casserole. Je suppose que vous êtes fier de vous, Spears. Fier de me l'avoir volée.
— Je ne l'ai pas volée car, pour commencer, elle ne vous a jamais appartenu.
— Je devrais vous casser la figure pour ce que vous venez de faire, gronda-t-il, rouge de colère.
— Allez-y, vous ne savez rien faire d'autre. Mais que se passera-t-il si Maribeth continue à vous repousser? Vous lui casserez la figure, à elle aussi?
— Je ne l'ai jamais touchée, moi.
— Non, mais vous l'avez culpabilisée parce qu'elle ne vous aimait pas comme vous l'espériez. Ce qui est pire.
— Pour qui vous prenez-vous? fulmina Moss, prêt à cogner.
Maribeth se rhabillait dans la salle de bains. En entendant la voix de Moss, elle se précipita pour rejoindre Edward devant la porte. Trop tard.
— Moss, non!
Le poing de Moss s'écrasa sur le visage d'Edward qui, sous le choc, vacilla avant de s'effondrer.
Surprise, Maribeth ne sut que faire pendant quelques instants. En face d'elle, Moss se frottait les mains comme s'il venait de conclure un marché intéressant.
— Il est dans les pommes, ton beau gosse, lança-t-il avant de partir.
Maribeth se pencha aussitôt sur Edward qui commençait à se réveiller.
— Comment te sens-tu, Edward? bredouilla-t-elle en l'aidant à se redresser.

— A part mon œil au beurre noir, je crois que tout va bien.

Elle l'entraîna vers la salle de séjour puis l'aida à s'installer sur le canapé.

— Il t'a bien amoché, mon pauvre. Mais ne m'avais-tu pas dit que tu pratiquais le judo?

— Il a été si rapide que je n'ai même pas eu le temps de voir son poing s'abattre sur mon visage. Dans ce cas, comment voulais-tu que je me défende? Ce n'est pas un homme, c'est un ours.

— Bien, je vais aller préparer des glaçons, soupira-t-elle.

Un peu plus tard, après avoir nourri les chats, Maribeth et Edward faisaient leurs courses au supermarché.

— De ma vie, je ne me suis sentie aussi humiliée, grommela-t-elle entre ses dents. Tout le monde a les yeux fixés sur toi.

— Pas seulement sur moi, sur nous deux. Et tout ça parce que tu n'as pas cessé de crier depuis que nous sommes ici.

— Vous vous comportez comme des enfants, et tu veux que je me taise! rétorqua Maribeth en choisissant une pastèque.

— Je ne lui ai rien fait, moi, à Moss! se rebiffa Edward. Quelle idée de prendre une pastèque... Tu ne penses tout de même pas que je vais en manger?

— Pourquoi pas? Tu es dans le Sud, maintenant, tu ne peux pas échapper à la nourriture régionale.

— Je suis peut-être dans le Sud, mais je n'aime pas les pastèques.

Soudain, Maribeth aperçut Martha Hines, à quelques pas. Elle tourna la tête et demanda à Edward d'en faire autant, pour que la vieille dame ne remarque pas leur présence. La jeune femme en était restée à l'incident des chèques sans provision; elle ne savait donc pas que Spears avait dîné chez Martha.

— Edward! s'écria Martha en s'approchant d'eux. Mon Dieu, qu'avez-vous donc à l'œil?

— Moss lui a mis son poing dans la figure, expliqua Maribeth.

— Mais pas du tout! répondit Edward, vexé.

— Ce Moss, il s'est toujours comporté comme une brute, remarqua Martha d'un air irrité. Et il ne vous a pas ménagé, avec cet œil au beurre noir. Vous n'allez pas vous en débarrasser de sitôt.

— J'ai mis des glaçons pour le soulager, intervint Maribeth, surprise que la vieille dame se soucie à ce point de l'état d'Edward.

— Si ça ne va pas mieux, je vous conseille d'appeler le Dr Henderson; il se fera un plaisir de vous aider. A propos, j'ai obtenu l'emploi que vous m'aviez suggéré.

— Je suis très content pour vous, Martha, se réjouit Edward en saluant la vieille dame avant son départ.

Maribeth la regarda s'éloigner, ne comprenant toujours pas pourquoi Martha s'intéressait soudain tant au banquier.

— Je ne savais pas que vous vous entendiez si bien, Martha et toi? Depuis quand? demanda-t-elle, intriguée.

Edward haussa les épaules.

— Elle a dû changer d'avis à mon sujet.

— Depuis que tu ne rejettes plus ses chèques, je suppose.

— Ce n'est pas le moment de parler affaires, Maribeth.

— Tu sais, Edward, chaque fois que j'ai l'impression de bien te connaître, tu arrives toujours à me surprendre.

— Tu te charges de la salade pendant que je prépare les pommes de terre pour les mettre au four, proposa Edward, lorsqu'ils eurent regagné la maison. J'espère que tu sais au moins comment assaisonner une salade?

— Je ne suis pas aussi nulle que tu le crois.

— De toute façon, ce n'est pas si grave puisque tu te rattrapes autrement.

Et il n'eut pas à la regarder pour comprendre que Maribeth était rouge de confusion. Après avoir lavé, nettoyé et huilé les pommes de terre, il les entassa dans un plat pour les mettre au four. Puis, adossé au comptoir, il l'observa tandis qu'elle préparait la salade. Fasciné, il contempla longuement ses mains douces et délicates, ses doigts longs et fins. Ses mains qui le caressaient jusqu'à lui faire perdre la raison... Ses doigts qui le taquinaient jusqu'à ce qu'il gémisse de plaisir...

Lorsque Maribeth releva la tête, elle remarqua une étrange lueur dans ses yeux sombres.

— Qu'y a-t-il, Edward? lui demanda-t-elle.

— Eh bien, je pensais qu'en attendant que les pommes de terre cuisent... J'ai envie de toi, Maribeth.

A ces mots, son cœur bondit dans sa poitrine. Comment lui résister? Abandonnant son couteau, elle s'essuya les mains puis se tourna vers lui. Blottie dans ses bras, la jeune femme ronronna de joie. Elle s'y sentait si bien!

Edward lui couvrit de baisers le visage puis les lèvres. Frémissante de désir, elle se serra tout contre lui. Encore et encore. Lorsqu'il la souleva dans ses bras pour l'emporter jusqu'à la chambre, elle glissa les mains autour de son cou et enfouit sa tête au creux de son épaule.

Là, dans les draps frais, ils s'aimèrent doucement, longuement. Elle lui offrit son cœur, puis son corps jusqu'à en perdre la raison. Il se perdit en elle, l'enivrant de caresses et de baisers, jusqu'à ce qu'ils s'unissent enfin dans un cri.

Plus tard, enlacés dans les bras l'un de l'autre, ils écoutèrent en silence les battements affolés de leur cœur.

— C'est la première fois que je partage la couche d'un homme à l'œil au beurre noir, remarqua Maribeth dans un soupir.

Il éclata de rire.

— Moi, c'est la première fois que cela m'arrive avec une femme qui tire sur des voleurs.

Elle se redressa, indignée.

— Edward, je te signale pour la énième fois que je ne lui ai pas tiré dessus. Je lui ai simplement écorché la main. Je ne le répéterai pas.

Plus tard, lorsqu'ils passèrent enfin à table, Maribeth mourait de faim.

— Mon pauvre Edward, tu ressembles à un bandit, avec ton œil poché, remarqua-t-elle, les yeux brillants de malice. Que vas-tu faire, demain matin?

— Bandit ou pas, il va falloir que j'aille au bureau.

Après le dîner, ils débarrassèrent ensemble la table avant de retourner au lit. Blottis dans les bras l'un de l'autre, ils regardèrent une émission à la télévision. Bouleversé par la présence de Maribeth à ses côtés, Edward ne prêta que très peu attention à ce qui se passait sur l'écran. Son esprit était ailleurs; il ne pouvait s'empêcher de penser à elle, à celle qu'il aimait!

Puis ils s'endormirent, serrés l'un contre l'autre. Dehors, le temps commençait à se gâter et des éclairs illuminaient l'obscurité.

Ils dormaient paisiblement lorsque la sonnerie du téléphone les arracha à leur sommeil. Edward prit l'appel, marmonna quelques mots avant de raccrocher.

— Qu'y a-t-il, Edward? C'est grave? s'enquit Maribeth en voyant son regard sombre.

Edward, debout, enfilait déjà son pantalon.

— La grange d'Hector Billings a été frappée par la foudre et a pris feu, expliqua-t-il en continuant à s'habiller. Ils ont besoin de moi.

— Mais pourquoi toi? Tu n'es pas pompier, tout de même.

— Eh bien si, depuis notre dernière réunion de la Chambre de commerce. On m'a demandé si je voulais me porter volontaire et j'ai accepté. Je ne te l'avais pas dit?

— Non. A l'époque, nous étions fâchés, remarqua Maribeth en se levant à son tour. Je t'accompagne.

— Il n'en est pas question, c'est trop dangereux.

— Je sais, mais je veux venir quand même. De toute façon, tu as besoin de moi pour aller jusque chez Hector. Tu ne connais même pas son adresse.

— Il habite près du club. Et je n'aurai aucun mal à repérer une grange en feu. Je me débrouillerai sans toi.

— Tu veux me laisser ici, morte d'inquiétude? Si tu ne m'emmènes pas, je trouverai quelqu'un d'autre pour me conduire.

— Écoute, Maribeth! s'écria-t-il, rouge de colère, puis il se calma enfin. D'accord, tu m'accompagnes, mais tu ne bouges pas de la voiture. Je ne saurai déjà pas où donner de la tête avec le feu, je ne veux pas avoir en plus à m'inquiéter pour toi. C'est compris?

— Oui, Edward.

Maribeth s'habilla rapidement, puis elle le rejoignit dans la voiture. La pluie rendant la conduite très difficile, ils roulèrent lentement jusqu'à la propriété d'Hector.

Arrivés à destination, ils remarquèrent malheureusement que la grange, emprisonnée par les flammes, était irrécupérable. Edward gara la voiture aussi près que possible, puis il courut rejoindre les autres volontaires déjà en place. Sans qu'il s'en aperçoive, Maribeth s'empressa de le suivre.

— Qu'est-ce que je peux faire? demanda-t-il à l'un des hommes.

— Allez voir dans le camion, il y a de quoi vous habiller et vous équiper pour attaquer les flammes. Nous ne pouvons plus rien faire pour sauver la grange, mais nous allons au moins tâcher d'empêcher le feu de se répandre, lança-t-il avant de s'adresser à Maribeth. Et vous, occupez-vous du bétail. Beaucoup de bêtes se sont échappées et Hector ne sait plus où donner de la tête.

Edward se retourna d'un bond aperçut Maribeth, derrière lui.

— Je t'avais dit pourtant de ne pas bouger!

— Je ne peux pas, Edward. Il faut que je me rende utile.

Puis, sans un mot de plus, elle courut rejoindre l'équipe chargée du bétail.

Quelques heures plus tard, le feu était maîtrisé, mais il ne restait plus rien de la grange d'Hector. Les premières lueurs de l'aube commençaient à chasser l'obscurité de la nuit; le soleil n'allait pas tarder à se lever. Maribeth, épuisée, contemplait tristement la scène qui se déroulait devant ses yeux.

— Prête à rentrer? lui demanda Edward d'une voix lasse.

Ils s'apprêtaient à partir lorsqu'Hector vint les saluer.

— Merci d'être venus, dit-il en leur serrant la main.

— Si vous avez besoin de quoi que ce soit, n'hésitez pas à me faire signe, proposa Edward.

Un léger sourire éclaira le visage du vieil homme. Je n'y manquerai pas, mon garçon. Mais d'abord, occupez-vous de votre œil, il ne m'a pas l'air bien du tout.

Pendant le trajet du retour, Maribeth s'endormit dans la voiture. Edward conduisit en silence pour ne pas la réveiller. A la maison, il la prit dans ses bras et la transporta jusqu'à la chambre. Après une bonne douche, ils se couchèrent enfin et s'endormirent aussitôt.

Maribeth se réveilla vers huit heures, prête à aller au bureau malgré les protestations d'Edward.

A la banque, son œil au beurre noir n'attira aucun commentaire bien que tout le monde l'ait remarqué à son arrivée. La matinée fut longue et chargée. Vers onze heures, épuisée, Maribeth regretta de ne pas être restée au lit comme le lui avait conseillé Edward. De son côté, il ne se sentait pas mieux. Sa grippe s'était aggravée avec la nuit passée dehors et il avait franchement mauvaise mine.

Maribeth s'apprêtait à prendre un autre café lorsque Hector se présenta à la banque.

— Hector, quelle bonne surprise! s'écria-t-elle en lui versant une tasse de café.

Edward, qui sortait de son bureau, le salua à son tour.

— Vous avez une minute. Edward? s'enquit le vieil homme en lui serrant la main. J'aimerais vous parler, en privé si possible.

— Mais certainement, Hector.

Sachant qu'Hector Billings faisait rarement appel aux banques, Edward se demanda quelle était la raison de sa visite. Surpris, il se tourna vers Maribeth et la pria de ne pas le déranger pendant l'entretien. Puis il fit signe à Hector de le suivre. Maribeth semblait aussi étonnée que lui.

Pourtant, elle n'eut pas la possibilité de se pencher sur le cas d'Hector. Une des employées ayant des difficultés avec un client, elle dut se rendre au comptoir pour l'aider. Lorsqu'elle regagna enfin son bureau, Hector était sur le point de partir. Il avait l'air contrarié.

— Tout va bien, Hector? l'interrogea-t-elle en essayant de sourire.

— Oui, si on veut.

Puis il la salua avant de sortir en trombe. Maribeth comprit aussitôt que ce n'était pas le cas. Elle se précipita chez Edward pour en savoir plus. Perdu dans ses pensées, celui-ci jouait avec un crayon lorsqu'elle entra dans son bureau.

— Qu'est-ce qui se passe? Je n'ai jamais vu Hector dans cet état.

Edward jeta son crayon dans un tiroir.

— Il voulait emprunter sept mille dollars pour reconstruire sa grange et remonter son bétail. J'ai refusé.

— Tu as fait quoi?

Se levant d'un bond, Edward enfonça les mains dans ses poches.

— Tu ne comprends pas, Maribeth. A part la pension qu'il reçoit de la Sécurité Sociale, et qui n'est pas très élevée, il n'a pas d'argent. Il aurait été incapable de rembourser le prêt.

— Mais te rends-tu compte de ce que tu as fait? Tu as refusé de prêter de l'argent à Hector Billings, l'homme le plus important de notre communauté. Sans lui, cette ville ne serait rien, aujourd'hui.

— Tu crois que je ne le sais pas? lança-t-il, contrarié par la réaction de la jeune femme. Que voulais-tu que je fasse? Que je lui accorde un prêt tout en connaissant ses difficultés financières?

— Hector aurait remboursé, quoi qu'il arrive, cria-t-elle à tue-tête.

— Mais il ne peut pas, il n'en a pas les moyens.

— Tu es bien de New York, rétorqua-t-elle d'un air méprisant. Tout ce qui t'intéresse, ce sont tes chiffres, tes pourcentages et tes merveilleux résultats d'ordinateur. Tu te fiches pas mal des problèmes de tes clients.

— C'est faux! se rebiffa-t-il, en colère. J'ai proposé à Hector de lui prêter moi-même cet argent, mais il n'a rien voulu entendre.

— Comment as-tu pu faire une chose pareille? Tu as tout détruit, tout ce qu'ensemble nous avions peu à peu réussi à construire.

— Maribeth...

— Que crois-tu que les autres clients vont faire en apprenant la nouvelle? Eh bien, je vais te le dire, moi! Ils vont s'empresser de clore leur compte pour placer l'argent ailleurs.

— Tu ne penses pas que tu exagères un peu?

— Tu ne comprends vraiment rien, Edward, soupira-t-elle, lasse de lutter. Dans ces conditions, je ne peux plus continuer à travailler ici...

— Maribeth, assez!

Elle ne releva pas la remarque.

— Tu n'es pas de chez nous, Edward, fulmina-t-elle, les yeux emplis de larmes. Moss avait raison de dire que tu ne le serais jamais. Pourquoi ne retournes-tu donc pas d'où tu viens? Je croyais que nous avions une chance de nous entendre, mais je vois que je me suis trompée.

Edward frappa la table du poing.

— Assez! As-tu jamais pensé que j'avais peut-être d'autres solutions aux problèmes d'Hector? Après tout ce que nous avons vécu ensemble, tu n'as toujours pas confiance en moi. Et ça me fait beaucoup de peine, enchaîna-t-il en s'efforçant de se calmer. Maintenant, si tu as envie de quitter ton emploi, je ne peux pas te retenir. Je saurai au moins où nous en sommes. Mais je ne peux pas, et je ne veux pas, prendre des décisions importantes en tenant compte de tes sentiments personnels. Si tu veux bien m'excuser, j'ai beaucoup de travail, ajouta-t-il en reprenant sa place au bureau.

Maribeth sortit sans un mot, puis elle ferma la porte derrière elle. Les yeux noyés de larmes, elle prit son sac avant de partir.

9

DÈS le lendemain, Maribeth commença à chercher un autre emploi. Il n'y avait pas beaucoup de travail dans la région. Parmi les quelques possibilités, elle choisit le poste d'assistante à la bibliothèque municipale.

Doris Bagby, le chef de service, la reçut pour l'entretien.

— Ce n'est pas un poste très bien payé, mais il est stable. De plus, chaque année vous aurez droit à une augmentation.

Maribeth essaya de faire mentalement ses calculs. Elle aurait juste de quoi payer son loyer et subvenir à ses besoins les plus simples.

— Je prends, accepta-t-elle, de peur de ne rien trouver d'autre avant plusieurs mois. Quand voulez-vous que je commence?

Au bout d'une semaine, Maribeth se demanda si elle n'avait pas commis une erreur en acceptant cet emploi. Ce n'était pas qu'elle manquât de travail : elle avait de quoi occuper largement ses journées. Mais elle n'avait personne à qui parler. Doris Bagby, enfermée dans sa cage de verre, n'apparaissait que très rarement et jamais pour discuter. Elle n'était pas très bavarde. Maribeth commençait à réaliser que la banque lui manquait et surtout, qu'Edward lui manquait.

Ce vendredi-là, en rentrant chez elle après avoir acheté une nouvelle batterie pour sa voiture, Maribeth se demanda si elle n'aurait pas mieux fait de choisir l'emploi de serveuse. Là, au moins, elle aurait su avec qui bavarder.

Plus tard, tandis qu'elle s'apprêtait à nourrir ses chats, Carol l'appela au téléphone.

— Edward a besoin de toi, Maribeth. Il faut que tu reviennes. Depuis ton départ, tout va de travers, ici.

— A-t-il dit lui-même qu'il avait besoin de moi?

Elle avait déjà enfilé sa chemise de nuit, décidée à aller au lit de bonne heure pour oublier ses soucis. De toute la semaine, Edward n'avait même pas pris la peine de l'appeler. Pourquoi aurait-il soudain besoin d'elle?

— Jusqu'à ses plantes qui sont en train de mourir, poursuivit Carol en espérant la convaincre.

— Elles ne se portaient pas mieux quand j'étais là, soupira Maribeth. Je comprends ton inquiétude, Carol, mais je ne peux pas revenir. Il y a trop de problèmes entre nous. Nous n'arrivons pas à nous entendre. Nous sommes trop différents l'un de l'autre.

— Je crois simplement que tu ne veux rien entendre, répliqua Carol, contrariée. Dan avait raison; je n'aurais pas dû me mêler de ce qui ne me regardait pas.

Après avoir raccroché, Maribeth alla directement se coucher. Mais une fois de plus, elle fut incapable de trouver le sommeil. Elle ne cessait de penser à Edward. Pourquoi ne l'appelait-il pas? Avait-il décidé de l'effacer pour toujours de sa mémoire?

Elle l'avait déçu, c'est vrai. Chaque fois qu'il avait eu besoin d'elle, elle l'avait abandonné sans lui donner la moindre occasion de s'expliquer. Elle ne lui avait pas fait confiance, malgré tout ce qui s'était passé entre eux. A cette pensée, les larmes coulèrent, mais cette fois elle ne les essuya pas.

Comme convenu, Maribeth passa la soirée du dimanche chez ses parents. Malgré ses efforts, elle ne put leur cacher sa tristesse et ils ne cessèrent de la harceler de questions. Tout de suite après le dîner, elle trouva donc une excuse et s'empressa de rentrer.

De retour chez elle, elle attendit un appel d'Edward; en vain. Pourquoi lui téléphonerait-il puisque tout était fini entre eux? Qu'elle le veuille ou non, Maribeth devait accepter les faits.

La semaine suivante, dès le lundi, elle décida de se consacrer entièrement à son travail. C'était le seul moyen de ne pas penser à Edward. Aux heures de déjeuner, elle continua à rejoindre Carol sur la place, mais d'un commun accord, personne ne mentionna le nom même d'Edward. La semaine fut longue et difficile.

— Mon Dieu, quelle tête tu fais! remarqua Carol, ce vendredi-là. Tu te rends compte que tu n'as pas souri une seule fois depuis le début de la semaine?

Maribeth ne put s'empêcher d'éclater de rire.

— Oui, je sais. Si je continue comme ça, mes chats ne vont pas tarder à me plaquer. Je me demande comment toi, tu arrives encore à me supporter.

— Tu me fais penser à Edward. Lui aussi, il ne sourit plus, ces temps-ci.

En entendant son nom, Maribeth se leva d'un bond.

— Bien, il est temps que je retourne à mon travail. Passe un bon week-end, Carol, et à bientôt.

Puis elle se dépêcha de partir.

Maribeth fronça les sourcils dans son sommeil. Qui donc cognait à sa porte à une heure aussi tardive? Était-ce Doris Bagby qui venait la chercher? Était-elle en retard au bureau? Mais non, elle ne travaillait pas, ce jour-là. La jeune femme s'enfonça donc sous les draps pour ne plus y penser. Dormir, elle ne voulait que dormir. Personne ne pouvait l'en empêcher.

Mais, les coups sur la porte s'accentuant, elle se réveilla d'un bond, et tâtonna dans le noir pour trouver le réveil. Il n'était que cinq heures et demie du matin. Qui donc cela pouvait-il bien être? Un fou, une âme en peine, ses parents? Leur serait-il arrivé quelque chose? Morte de peur, elle rejeta ses couvertures et sortit de la chambre sans même prendre la peine d'enfiler son peignoir. En passant par la cuisine elle s'empara d'un couteau. Au cas où, bien sûr. Puis elle alluma la lumière de l'entrée et s'approcha de la fenêtre pour jeter un coup d'œil. Elle eut le souffle coupé en reconnaissant son visiteur. Edward était là, debout devant sa porte muni de deux paniers de provisions.

D'une main tremblante, Maribeth ouvrit la porte.

— Quel accueil! remarqua Edward en voyant le couteau. J'espère que tu ne vas pas t'en servir contre moi.

Elle s'en débarrassa aussitôt.

— Non... Que se passe-t-il?

— J'ai besoin de ton aide, dit-il en commençant à vider le contenu de ses paniers. J'ai besoin que tu m'aides à préparer des sandwiches pour une vingtaine de personnes.

Lorsqu'il se retourna pour lui expliquer ce qu'il fallait faire, il s'arrêta soudain, bouche bée. La jeune femme se tenait devant lui, vêtue d'un simple T-shirt et d'un caleçon très court. Ses cheveux emmêlés par le sommeil lui dansaient autour du visage. Edward eut brusquement une folle envie de la prendre dans ses bras et de la serrer très fort.

— Mais habille-toi d'abord, ajouta-t-il simplement.

Bien que troublée par sa visite inattendue, Maribeth s'efforça de ne pas flancher.

— Je m'excuse de te recevoir dans une tenue aussi légère. Edward, rétorqua-t-elle en redressant le menton. Mais sache que je n'ai pas l'habitude d'avoir des visiteurs à une heure aussi indue.

Il se présentait chez elle au milieu de la nuit, sans prévenir, et il s'offusquait de la trouver ainsi presque nue. Pour qui se prenait-il donc? Cet homme n'avait aucun droit sur elle. Dire qu'il n'avait même pas pris la peine de l'appeler, ne serait-ce qu'une fois, alors qu'elle avait passé ses nuits à pleurer, à penser à lui. Elle grinça des dents.

— Tu viens chez moi au milieu de la nuit et tu me donnes des ordres! Comment oses-tu? De toute façon, pourquoi as-tu besoin d'autant de sandwiches à une heure pareille?

Elle s'arrêta pour reprendre son souffle. Edward en tira parti et se mit en colère à son tour.

De toute évidence, elle n'était pas heureuse de le voir. Lui qui se faisait une joie de la retrouver... Durant ces deux semaines, il n'avait cessé de penser à elle. A plusieurs reprises il avait même eu envie de l'appeler sans avoir le courage de le faire. Puis il avait profité de cette occasion pour venir. Il n'aurait pas dû.

— Les sandwiches sont pour les hommes qui vont

construire la nouvelle grange d'Hector, rétorqua-t-il en remettant les provisions dans les paniers. Je me débrouillerai seul.

Maribeth en resta bouche bée.

— Pourquoi ne m'as-tu rien dit?

— Alors, tu veux bien m'aider? s'étonna-t-il devant sa réaction.

— Bien sûr. Je m'habille et je suis à toi.

Pieds nus, Hector Billings sortit de sa chambre et se dirigea vers l'entrée. Qui donc pouvait bien le déranger à sept heures du matin? Contrarié, il s'apprêtait à donner une bonne correction à ce visiteur matinal. Il fut surpris en trouvant Maribeth debout dans l'entrée.

— Qu'y a-t-il? demanda-t-il.

— Bonjour, Hector. Auriez-vous du café, par hasard?

— Je crois qu'il m'en reste encore. Mais ne croyez-vous pas qu'il est un peu trop tôt pour les visites?

— Non, il y a tant de choses à faire... J'ai besoin de café pour une vingtaine d'hommes. Pensez-vous en avoir assez?

Hector se frotta les yeux.

— Une vingtaine d'hommes? Mais pour l'amour du ciel, qu'est-ce qui se passe, Maribeth?

— Venez donc voir vous-même.

Hector lui obéit, bien qu'il ne soit pas très content qu'on le dérange à une heure aussi matinale. Il espéra qu'il ne s'agissait pas d'une plaisanterie car il ne se sentait pas d'humeur à la supporter. Mais en voyant l'état de sa cour, il en resta bouche bée. Une file de voitures et de camions s'y était garée et des hommes en sortaient par paquets, munis de toutes sortes d'outils. Dans un coin, une pile de bois était entassée sur l'un des camions.

— Qu'est-ce que c'est que ça? s'étonna le vieil homme, de plus en plus intrigué.

— Du bois pour votre nouvelle grange.

Hector la fixa un moment, ne sachant que dire.

— Mais où est-ce que vous avez trouvé l'argent?

— Nous l'avons obtenu du club qui a tenu, par ce geste, à récompenser vos quinze années de bons et loyaux services.

— Mais cet argent était destiné au parc! Je n'en veux pas, rendez-le et...

— Ne vous inquiétez pas pour le parc, nous avons déjà trouvé de quoi le financer, intervint Maribeth avant qu'il s'emporte. Il y a quelques jours, l'un des membres s'est rendu chez M. Burns pour lui demander si, en plus de financer le terrain, il ne pourrait pas participer aussi au financement de l'aménagement. Et M. Burns, sans la moindre hésitation, a aussitôt accepté de se charger de tout. Incroyable, n'est-ce pas? commenta Maribeth avec un large sourire. De plus, nous n'avons pas à nous inquiéter pour M. Burns, nous savons tous qu'il a les moyens.

— Plus de moyens que de cervelle, remarqua Hector, le visage rayonnant de joie. Mais tout de même, Maribeth, je ne peux pas accepter un cadeau pareil.

— Il le faut, Hector, tout le monde serait très fâché si vous refusiez. Acceptez-le, Hector, je vous en prie, pour nous faire plaisir, ajouta-t-elle d'une voix douce.

Ému, le vieil homme regarda autour de lui. Les hommes, pleins d'entrain, s'étaient déjà mis au travail.

— Qui en a eu l'idée? demanda-t-il, les larmes aux yeux.

Maribeth aperçut Edward au milieu des autres hommes.

— Vous devriez connaître la réponse à cette question, dit-elle, le cœur gros.

Hector suivit son regard et comprit aussitôt de qui il s'agissait.

— Il est fou, ce New-Yorkais! Mais je lui dois des excuses, et certainement bien plus encore... Et maintenant, que voulez-vous que je fasse? s'enquit-il en se tournant vers la jeune femme.

— Pour commencer, débarrassez-vous de cet affreux pyjama et habillez-vous, le taquina-t-elle en s'efforçant de ne pas fondre en larmes. Ensuite, préparez-nous du café. Beaucoup de café, car nous risquons d'en avoir besoin.

Toute la matinée, les hommes travaillèrent sans relâche. Vers midi, les femmes vinrent les rejoindre pour leur apporter du ravitaillement et leur donner un coup de main pour les petits travaux.

Maribeth, en compagnie de Carol, ne vit pas le temps passer. Mais elle ne cessa de penser à Edward, le cœur serré de l'avoir perdu pour toujours.

A plusieurs reprises, Carol remarqua le regard triste de son amie fixé sur Edward, mais elle préféra ne rien dire. Puis elle finit par perdre patience en s'apercevant que Maribeth ne l'écoutait même pas. Elle décida alors d'intervenir :

— Ne crois-tu pas qu'il serait temps que vous vous réconciliiez, tous les deux?

Prise au piège, Maribeth rougit de honte.

— Tout est fini entre nous, Carol. Ce n'est plus possible.

— Je sais, tu me l'as déjà dit. Et je continue à penser que tu es la fille la plus obstinée que j'aie jamais rencontrée. Tu ne veux céder sur rien, n'est-ce pas? Malgré les efforts que fournit Edward pour rester ici, pour se faire accepter et respecter de tous.

Il a fait des concessions, lui, mais toi, tu ne veux rien savoir.

— Tu crois que je n'en souffre pas, moi aussi? bredouilla Maribeth, au bord des larmes. Sache qu'il est trop tard, maintenant. Je ne lui ai pas fait confiance, je l'ai abandonné alors qu'il avait besoin de moi plus que tout. Il ne me le pardonnera jamais.

Carol voulut poursuivre, mais elle préféra se taire.

— Viens, allons aider les autres à distribuer le déjeuner. Et n'oublie pas que, ce soir, nous nous retrouvons tous chez Jake pour célébrer la fin des travaux. Barbecue gratuit pour tout le monde!

L'après-midi, Maribeth travailla sans répit, décidée à ne plus penser à Edward. Le matin, durant le court trajet jusque chez Hector, il lui avait à peine parlé. Depuis, il ne lui avait même pas adressé la parole. De toute évidence, il faisait tout pour l'éviter.

Maribeth ne lui en voulut pas et retint ses larmes tant bien que mal. Mais plus tard, lorsqu'Hector fondit en larmes en découvrant sa nouvelle grange, elle se mit à pleurer, elle aussi, incapable de se retenir plus longtemps.

— Qu'y a-t-il? Quelqu'un a fait du mal à mon bébé? demanda Moss, debout à ses côtés.

— Laisse-moi tranquille, Moss, ce n'est pas le moment. Je n'ai vraiment pas envie de plaisanter.

— Tu n'es pas la seule. J'en connais un autre qui a encore moins envie de plaisanter que toi. Tu veux que je t'accompagne chez Jake?

— Oui, ça me ferait plaisir.

Au cours du trajet, à la grande surprise de Maribeth, Moss resta très calme dans son coin. Lorsqu'ils arrivèrent au restaurant, le patron se chargeait de placer les tables en compagnie de quelques hommes. Sa femme, derrière le comptoir, servait la bière.

Plus loin, Maribeth aperçut Edward. Assis à une table, il vidait une bouteille de Heineken. Apparemment, Jake n'avait pas oublié de le gâter. Lorsqu'il releva la tête, leurs regards se croisèrent longuement. Le cœur serré, elle fut la première à détourner les yeux. Mais son esprit resta avec lui.

A la fin du repas, Hector prononça un discours pour remercier, un par un, tous les membres du club et plus particulièrement Edward qui avait mis sur pied ce projet.

— Nous te remercions pour tout ce que tu as fait pour nous, mon garçon, et nous espérons que tu décideras de rester parmi nous. Aussi, j'aimerais personnellement te nommer au poste de trésorier, dès que le club se réunira.

Les applaudissements explosèrent dans la salle. Maribeth, les larmes aux yeux, sourit à Edward. Elle était très fière de lui. Malgré les nombreuses difficultés, il avait réussi à se faire aimer et respecter de chacun des membres de la communauté.

Hector s'étant assis, ce fut au tour d'Edward de se lever pour prendre la parole :

— Hector, je suis très touché..., commença-t-il, un peu gêné. Touché que vous me fassiez confiance au point de me confier un tel poste au sein du club. Malheureusement, je ne serai pas à Laurel pour la prochaine réunion car je dois me rendre à New York quelques jours pour affaires. Mais quelqu'un me remplacera à la banque; il n'y aura donc pas de problèmes. Je vous remercie de tout mon cœur, conclut-il avec un large sourire.

Les applaudissements retentirent à nouveau dans la salle.

Le sourire de Maribeth se figea soudain sur son visage.

— Tu veux partir? lui proposa Moss.

Elle accepta d'un signe de tête. Sans un mot, elle salua les autres invités, puis suivit Moss hors de la salle. Là, incapable de se retenir plus longtemps, elle éclata en sanglots.

— Où veux-tu aller?

— Où tu veux, ça m'est égal. Roule droit devant toi jusqu'à ce que je m'arrête de pleurer.

Moss démarra sans poser de questions. Mais vingt minutes plus tard, voyant qu'elle pleurait encore, il décida d'intervenir :

— Écoute Maribeth, on ne peut plus continuer comme ça. Si nous ne faisons pas demi-tour, bientôt nous n'aurons plus suffisamment d'essence pour rentrer.

— Et moi, je n'aurai plus de mouchoirs, bredouilla-t-elle en s'essuyant le nez.

Lorsqu'un peu plus loin, il arrêta brusquement la voiture, elle se tourna vers lui, affolée.

— Ça y est, c'est la panne?

— Non, je veux seulement te parler, soupira-t-il, ne sachant par où commencer. Maribeth, il faut que tu retournes voir ce Spears et que tu fasses la paix avec lui.

Elle le regarda, bouche bée.

— Tu es devenu fou ou quoi? La semaine dernière, tu lui casses la figure, et maintenant tu veux que...

— Je ne savais pas, à l'époque, qu'il tenait autant à toi, qu'il t'aimait vraiment. Et tu l'aimes, toi aussi, dit-il d'un air résigné. Je suis peut-être fou, mais pas à ce point, Maribeth. N'agis donc pas en imbécile et cours le rejoindre car tu ne trouveras pas souvent des hommes comme lui. Il est capable de te supporter et de t'aimer. N'attends pas qu'il soit trop tard... Il veut t'épouser, tu sais.

Maribeth écarquilla les yeux de surprise.

— Il te l'a dit? Il t'a dit qu'il voulait m'épouser?

— Oui, ce matin, chez Hector. Mais depuis, il a annoncé qu'il partait pour New York. Il a peut-être changé d'avis.

— Ce n'est pas possible, il ne peut pas me faire ça! gronda-t-elle en se redressant d'un bond. Qu'est-ce que je dois faire, Moss? Aide-moi.

— Je ne peux pas, Maribeth. Toi seule peux prendre une telle décision.

— Très bien, allons directement chez lui. S'il a dit qu'il voulait m'épouser, il va le faire, qu'il le veuille ou non! lança-t-elle en prenant son courage à deux mains. Mais toi, Moss, qu'est-ce que tu vas devenir?

— Ne t'inquiète pas pour moi. Je me débrouillerai comme je l'ai toujours fait.

Au retour, ils parlèrent peu, de choses insignifiantes. Maribeth remarqua que de sa vie, elle ne s'était sentie aussi anxieuse. Qu'allait-elle lui dire? Et s'il ne voulait plus l'épouser? S'il avait décidé de quitter Laurel pour toujours?

En s'engageant dans sa rue, ils aperçurent la Mercedes d'Edward garée devant la maison.

— Je crois qu'il est là, bafouilla-t-elle, le cœur battant.

— Oui...

— Moss, que vais-je faire s'il a changé d'avis, s'il ne veut plus m'épouser?

— C'est un risque à courir, Maribeth. Il faut que tu le prennes.

Elle sentit les larmes lui piquer les yeux.

— Merci, Moss. Merci de m'avoir aidée, murmura-t-elle en l'embrassant très fort.

Il lui fit signe de descendre.

— Maintenant, cours le rejoindre! Je suis sûr que tu trouveras un moyen pour le retenir.

Maribeth marcha lentement en direction de la maison. Derrière elle, elle entendit le vrombissement de la voiture de Moss qui s'éloignait. Devant la porte, Maribeth hésita un moment avant de frapper. Et s'il ne voulait plus d'elle? Et s'il avait décidé de la quitter pour toujours? Que faire avec tous ces si? Pourtant, il fallait qu'elle lui parle. Elle ne pouvait pas le laisser partir. Edward n'avait pas le droit de fuir maintenant, et de l'abandonner ainsi, seule et désemparée.

La jeune femme finit par frapper à la porte. Edward lui ouvrit aussitôt. Elle s'apprêtait à l'attaquer lorsqu'elle remarqua soudain qu'il était à moitié nu : une simple serviette lui masquait les reins. Ce détail n'étant pas prévu au programme. Maribeth eut un bref moment d'hésitation.

— Il faut que je te parle, Edward, lança-t-elle en essayant de ne pas flancher.

Il recula légèrement puis lui fit signe d'entrer.

— Qu'y a-t-il?

Cette fois, elle alla droit au but :

— Edward, je ne peux pas te laisser partir à New York. Je veux que tu restes à Laurel et que tu m'épouses, comme tu avais l'intention de le faire. Tu as dit à Moss que tu voulais m'épouser... C'est la vérité, n'est-ce pas? demanda-t-elle, pleine d'espoir.

— Je vois que les nouvelles vont vite dans ce pays. C'est vrai, j'en ai parlé à Moss ce matin. Mais depuis, j'ai beaucoup réfléchi et je ne suis plus très sûr. Ne m'as-tu pas dit toi-même que nous sommes très différents, que nous n'avons aucune chance de nous entendre? Je ne sais plus, Maribeth...

Elle comprit où il voulait en venir, mais elle ne se découragea pas. Spears, son banquier, en valait la peine.

— J'ai eu tort, Edward, je n'aurais jamais dû te dire des choses pareilles. J'aurais dû te faire confiance. Mais je t'aime, Edward, et je suis prête à tout pour te garder près de moi. Si tu refuses de m'épouser, enchaîna-t-elle, les yeux brillants de malice, je n'hésiterai pas à lancer mon père à tes trousses. Tu ne t'en tireras pas si facilement, je te le promets.

A ces mots, Edward ne put s'empêcher d'éclater de rire. L'attirant dans ses bras, il l'étreignit de toutes ses forces.

— Tu n'auras pas besoin de faire appel à ton père, dit-il en l'embrassant tendrement.

Elle se blottit dans ses bras, heureuse de l'avoir enfin retrouvé.

— Alors, qu'est-ce que tu attends pour me demander ma main?

— Toujours aussi autoritaire, à ce que je vois. Tu ne changeras pas.

— Ce n'est tout de même pas à moi de le faire! Tu imagines quelle serait la réaction des gens s'ils apprenaient que moi, Maribeth Bradford...

— D'accord, d'accord.

Sans plus attendre, Edward s'empara d'une pile de coussins qu'il jeta par terre à ses pieds. Puis il s'agenouilla devant elle.

— Maribeth Bradford, veux-tu me faire l'honneur de devenir ma femme?

Elle n'hésita pas une seconde :

— Oui, accepta-t-elle, rayonnante de bonheur.

— Attends, je n'ai pas fini... Veux-tu me promettre de m'aimer toujours et de ne plus me donner des ordres?

— Oui, soupira-t-elle.

— Et de réfléchir avant de dire n'importe quoi?

— Oui, grommela-t-elle. Autre chose?

Il éclata de rire.

— Non, c'est tout. Je pense que nous avons fait le tour de la question.

— Edward, je t'aime tant! s'écria-t-elle en l'enlaçant de toutes ses forces.

Leurs regards se croisèrent alors et ils comprirent soudain qu'ils étaient incapables de vivre loin l'un de l'autre.

La soulevant dans ses bras, Edward l'emporta jusqu'à la chambre.

— Et maintenant, laisse-moi te montrer quels seront tes devoirs lorsque tu seras ma femme, railla-t-il en la déposant sur le lit.

Cette fois-ci, Maribeth n'eut aucune envie de se plaindre. Haletante de désir, elle s'offrit à lui, corps et âme, pour ne plus le quitter.

Après pareille étreinte, ils restèrent longtemps dans les bras l'un de l'autre, satisfaits et heureux.

— Alors, quand est-ce que tu me présentes à tes parents? demanda enfin Edward.

— Dès demain, si tu veux.

— Le plus tôt sera le mieux. Tu crois que je vais leur plaire?

— Ce sera peut-être un peu difficile, au début, surtout avec mon père, mais ils finiront par t'accepter. Pour eux, le plus important, c'est que nous nous aimions, que nous soyons heureux ensemble.

Le silence se fit à nouveau dans la pièce. Serrés l'un contre l'autre, ils se sentaient si bien. Cette fois, ce fut Maribeth qui le brisa en reprenant la parole :

— Et que nous ayons beaucoup d'enfants, lança-t-elle avec un large sourire. Tu aimes les enfants, j'espère.

Il acquiesça d'un signe de tête. Ce soir, il n'avait pas vraiment envie de parler. Après tant de jours passés sans elle, il ne voulait qu'une chose : l'étreindre et l'aimer, encore et encore.

— Et la bibliothèque, qu'est-ce que j'en fais? poursuivit Maribeth en l'arrachant à ses pensées. Je continue ou pas?

— Tu fais ce que tu veux, Maribeth. Mais en ce qui me concerne, je préférerais que tu reviennes à la banque.

— Tu veux que je revienne?

— Bien sûr, j'ai besoin de toi. A moins que tu décides de rester à la maison pour commencer à faire des enfants, ajouta-t-il d'un air coquin.

— Peut-être... Ce n'est pas une mauvaise idée, après tout!

— Dans ce cas, pourquoi ne pas nous y mettre tout de suite?

Il lui couvrit alors le visage de baisers et s'apprêta à la plonger dans une longue nuit d'amour...

PASSIONNÉMENT

LA FILIÈRE DES OISEAUX
par Rebecca YORK

Parutions : novembre 1988

Nº 12 *Les serres du faucon*

Parce qu'elle a aimé Mark Bradley autrefois, Eden Sommers a accepté la difficile mission de le faire parler. Parti pour Berlin afin d'y découvrir le traître qui livre aux Soviétiques un projet d'armement ultra-secret, Mark est tombé aux mains de ses ennemis. Il en est revenu étrangement silencieux et... suspect aux yeux de ses propres amis ; Hans Erlich, le médecin pervers aux ambitions démesurées, a-t-il imprimé dans l'esprit de Mark son influence démoniaque ? Sur l'ordre du Faucon, chef de la Filière des oiseaux, la jeune femme engage alors une lutte sans merci pour arracher son amour aux forces du mal.

Nº 13 *Vol du corbeau*

Un soir à Madrid, en utilisant un inoffensif billet de théâtre, la jeune attachée d'ambassade Julie McLean va plonger malgré elle dans le monde de l'espionnage. Ce billet est en effet la seule piste qui mène au Corbeau, le mystérieux agent double qui s'efforce de transmettre aux États-Unis des documents secrets dérobés aux Soviétiques... La naïve Julie se voit lancée dans un jeu dangereux qui l'oppose au séduisant Aleksei Rozonov, l'un des meilleurs agents du KGB. Ignorante des règles qui dominent cet univers impitoyable, Julie n'a d'autre choix que d'accepter cette partie d'escrime et de passion.

Nº 14 *Les plumes de la colombe*

La Colombe... Sous ce symbole de paix se cache une drogue mortelle qui menace de se répandre dans les rues de La Nouvelle-Orléans. Décidée à démasquer les responsables de la déchéance de son frère, Jessica Duval s'enfonce dans une jungle sauvage, régie par un culte malfaisant et barbare. Sur son chemin, se dresse un étranger envoûtant : Michael Rome... Entraînée à sa suite au sein d'un monde de violence, Jessica saura-t-elle utiliser ses dons pour sauver sa vie... et son amour ?

Nos trois parutions
de décembre 1988
à la

COLLECTION PASSION

N° 203 *Le baron* par Sally GOLDENBAUM

Qui est l'assassin? Le séduisant baron von Bluster aux tempes argentées, ou l'ineffable chef de la Mafia sicilienne? Le suspense est entier pour les heureux élus du week-end « noir » organisé par les Harrington. Fiona Finnegan, déguisée en sulfureuse comtesse, découvre les jeux d'une société qu'elle n'avait imaginée qu'à travers ses chers vieux livres. Et son partenaire du week-end, le baron, ou plutôt Nick, semble si à l'aise dans son rôle d'aristocrate raffiné...

N° 204 *Double contrat* par Linda CAJJO

Là-bas, près du grand fleuve, une petite châtelaine se bat pour conserver son manoir. Entourée d'excentriques, Rachel Barkeley a bien des soucis, et le sort semble s'acharner sur elle. C'est alors qu'entre en scène Jed Waters, un ancien ami d'enfance... Qui donc va l'emporter, le cœur ou la raison?

N° 205 *La loi de Steele* par Kay HOOPER

Une effrayante surprise attendait Theresa : tandis qu'elle roule en pleine nuit à travers bois, elle est ligotée et bâillonnée par un colosse. Mais cet homme au physique de bûcheron n'est autre que Zach Steele, un surdoué en informatique. Lorsqu'il referme la porte de la cabane, Theresa apprend qu'ils vont rester enfermés durant une semaine. Or, cette cohabitation s'avère plus que dangereuse...

Nos trois parutions
de janvier 1988
à la
COLLECTION PASSION

Nº 206 *Les deux routes* par Patt BUCHEISTER

Une année a passé depuis le tragique accident de voiture et Nicole a tout fait pour oublier Clay McMasters, celui qui l'a initiée à la douce agonie de l'amour pour disparaître ensuite de sa vie. Mais le voici de retour, et prêt à la reconquérir. Saura-t-il, malgré les remparts érigés par la jeune femme, lui faire admettre que leurs deux routes ne doivent faire qu'une ?

Nº 207 *Une ravissante voisine* par Judy GILL

Le célèbre alpiniste Bud Halloran est malheureusement réduit à l'immobilité à la suite d'un accident. Si on, il escaladerait le mur pour apercevoir la délicieuse créature qui émet un rire aussi cristallin... et prépare des mets aux arômes si délicats. Leur première rencontre est... brutale. Pourtant, Bud subit très vite le charme de sa voisine. Hélas, si Lucy désire fonder un foyer pour ses futurs enfants, Bud Halloran garde les yeux fixés sur les cimes.

Nº 208 *La chute de Lucas* par Kay HOOPER

Le temps est censé effacer les souvenirs. Mais lorsque Kay Griffith voit briller sous le soleil les cheveux blonds de Lucas Kendrick, elle comprend qu'elle n'a jamais cessé de l'aimer. Dix ans auparavant, il avait su éveiller sa passion, avant de la quitter sans lui laisser l'ombre d'une explication. Seule, rebelle et guidée par l'amertume, Kay s'était mise à flirter avec le danger, unique remède, pensait-elle, pour oublier son amour perdu.

Nos trois parutions
de décembre 1988
au
CLUB PASSION

N° 25 *Fantaisie* par Sandra BROWN

La vie d'Elizabeth est pleine de fantaisie... dans sa tête uniquement. Fantaisie, c'est aussi le nom de sa boutique de cadeaux. Mais dans la réalité, elle se comporte avec la dignité que demande son état de jeune veuve, mère de deux enfants, jusqu'au jour où Randolph Tadd fait irruption dans sa vie. Suivra-t-elle les conseils de Lélia, sa jeune sœur, pour qui le bonheur passe obligatoirement par Randolph? Ou mettra-t-elle dans sa vie un peu de fantaisie?

N° 26 *Les pandas jumeaux* par Joan Elliott PICKART

En proie à un violent chagrin, Pénélope Chapman se réfugie dans la maison en cours de construction qui appartient à Carter Malone. Un amour fulgurant naît aussitôt entre eux. Mais sera-t-il assez fort pour abattre le mur d'incompréhension qui les condamne à vivre séparés?

N° 27 *La chanteuse de Budapest* par Iris JOHANSEN

Sacha suit depuis deux mois la tournée du célèbre Bart Devlin. Mais ce n'est pas une groupie ordinaire, et, lorsque Bart descend de son piédestal pour lui faire des avances, elle refuse. Et pour cause : tous deux sont frère et sœur! Un tueur les poursuit bientôt dans les rues de San Diego. Pour lui échapper et pour protéger Devlin, Sacha avouera-t-elle à l'homme qui l'aime l'horrible secret de son enfance?

Nos trois parutions
de janvier 1989
au

CLUB PASSION

N°28 *Nuits blanches* par Sara ORWIG

A cause d'une malencontreuse cicatrice sur le nez, Millie a toujours pensé qu'elle était défigurée. Inspirer une passion, elle, à un homme tel que Ken Holloway? Il faudrait être folle pour l'imaginer. Pourtant, ce trop séduisant fugitif, qui s'est réfugié chez elle un soir de neige, sait lui prouver sa sincérité. Mais qu'en restera-t-il lorsque Ken retournera à sa vie brillante? Millie n'a pas confiance, ni en lui ni en elle-même...

N° 29 *Le fruit de la passion* par Sandra BROWN

Un enfant! Sur cet espoir, un couple se construit et se déchire. Rhetta demande un mariage « pour la forme », afin de protéger l'enfant. Et puis, pense-t-elle, on annulera le contrat. Mais voilà que Taylor prend les choses au sérieux, Taylor dont la jeune femme se méfie terriblement...

N° 30 *Illusions* par Joan Elliott PICKART

Quand Sharyn Cole découvre dans sa baignoire un aventurier aussi imposant que magnifique, elle souhaite le garder pour toujours. Mais Errol Sagan ne se fixe jamais nulle part : lorsque ses bagages lui auront été livrés, il fuira de nouveau. Or, ce serait oublier la bonne ville de Cherokee, dont la population a le secret du bonheur...

LA COMPOSITION, L'IMPRESSION ET LE BROCHAGE DE CE LIVRE
ONT ÉTÉ EFFECTUÉS PAR LA SOCIÉTÉ NOUVELLE FIRMIN-DIDOT
MESNIL-SUR-L'ESTRÉE
POUR LE COMPTE DES ÉDITIONS PRESSES DE LA CITÉ

ACHEVÉ D'IMPRIMER LE 5 OCTOBRE 1988

Imprimé en France
Dépôt légal : novembre 1988
N° d'impression : 10260